संन्यासी और सुंदरी

- मराठी
- उर्दू
- गुजराती
- उड़िया

में अनूदित एवं पुरस्कृत

संन्यासी और सुंदरी

नर्तकी वासवदत्ता और आचार्य उपगुप्त की कथा पर आधारित बौद्धकालीन उपन्यास

यादवेन्द्र शर्मा 'चन्द्र'

वाणी प्रकाशन

वाणी प्रकाशन
4695, 21-ए, दरियागंज, नयी दिल्ली 110 002
शाखा
अशोक राजपथ, पटना 800 004
फ़ोन: +91 11 23273167 फ़ैक्स: +91 11 23275710
www.vaniprakashan.in
vaniprakashan@gmail.com

SANYASI AUR SUNDARI
by Yadvendra Sharma 'Chandra'

ISBN : 81-8143-447-1
Novel

संस्करण 2005
आवृत्ति 2012
मूल्य : ₹200

मेहरा ऑफ़सेट, नयी दिल्ली-110002 में मुद्रित

वाणी प्रकाशन का लोगो मक़बूल फ़िदा हुसेन की कूची से

मैं इतना ही कहूँगा

साहित्य के विभिन्न दृष्टिकोण और भिन्न-भिन्न पहलू होते हैं। उन पहलुओं के भिन्न-भिन्न दृष्टिकोणों के कारण मत-मतांतर की गहरी दरार है—विद्वानों के मध्य!

विचारक कहते हैं—किसी युग का साहित्य ही उस युग का सच्चा प्रतिबिंब होता है अतः वह कृति निःसंदेह एक सफल कृति है जो अपने युग का वास्तविक प्रतिनिधित्व कर दे।

मैंने भी 'संन्यासी और सुंदरी' के लिखने में इस बात का पूर्ण प्रयास किया है कि पाठक जब पढ़ें तो उन्हें तत्कालीन वातावरण की प्रतीति हो, वह उस युग के विभिन्न वर्ग की, विभिन्न परिस्थिति में उत्पन्न मनोवृत्ति का सही रूप से सैद्धांतिक भित्ति पर दिग्दर्शन करें।

प्रश्न उठता है कि क्या इस कथा का कोई ऐतिहासिक धरातल है?

उत्तर देता हूँ कि इस पुस्तक के लिखने के पूर्व मैंने तत्कालीन साहित्य की कई पुस्तकें पढ़ीं। पढ़ने के पश्चात् मैं इस परिणाम पर पहुँचा कि इस कथा का ऐतिहासिक धरातल भी है और नहीं भी? यह विरोधाभास है, लेकिन इस विरोधाभास के पीछे सत्य का आभास भी है। क्योंकि नर्तकी वासवदत्ता की कहानी हमें बौद्ध धर्म के प्रामाणिक ग्रंथ और पाली भाषा की कृतियों में नहीं मिलती, लेकिन यत्र-तत्र उसकी कथा प्रचलित है।

बौद्ध धर्म के यशस्वी लेखक महापंडित राहुल सांकृत्यायनजी से भी इस पुस्तक के प्रकाशन के पूर्व इस विषय पर चर्चा करने का अवसर प्राप्त हुआ था तो उन्होंने भी विचारपूर्ण तथ्यों के पश्चात् यही कहा कि बंगाल के चंद साहित्यकारों ने बौद्ध-वार्ताओं के प्रति अत्यंत स्वतंत्रता से काम लिया है।

सुप्रसिद्ध भिक्षु भदंत आनंद कौसल्यायनजी ने भी राहुलजी के विचारों का समर्थन करते हुए यही कहा कि किंवदंतियों का कुछ न कुछ वास्तविक तथ्य होता ही है और जो अत्यंत प्रचलित वस्तु है, वह तो सत्य है ही। मैं भी इस कथन का समर्थक हूँ।

जो जन-जन के मन की भावनाओं को उचित पाथेय की ओर उन्मुख करता

हुआ स्पंदित कर दे, वही तो सत्य है और उस सत्य में संदेह की गुंजाइश कम होती है।

आचार्य उपगुप्त की कथा से स्पष्ट प्रतीत होता है कि स्वयं उपगुप्त भी श्रेष्ठिवर थे और बाद में उन्होंने प्रव्रज्या ली थी। उनके जीवन के उतार-चढ़ाव व वक्तृत्व-कला सुप्रसिद्ध है—प्रामाणिक बौद्ध-ग्रंथों में।

राहुलजी ने वासवदत्ता का नाम परिवर्तित करने को कहा था, पर मैंने उनसे प्रार्थना की कि प्रचलित सत्य का खंडन संदेह का उत्पादक है। मैं मानता हूँ, संस्कृत साहित्य की यह वासवदत्ता नहीं है, पर इसकी अपनी कथा भी अत्यंत लोकप्रिय है, महत्त्वपूर्ण है।

मैंने इस बात का प्रयास किया है कि मेरा प्रत्येक चरित्र अपना विशेष व्यक्तित्व रखे। कम से कम वह अपने 'वर्ग' के सभी व्यक्तियों की मनोभावना का सही प्रतिनिधित्व करे।

जैसे वासवदत्ता उस समय मेरे समक्ष आती है जब उसके अंग-अंग में वासना का उद्दाम उद्वेलित होने लगता है। मनु मनुष्य है, सामन्त पुत्र, धनी है और उसके अपने चक्र हैं। गृहलक्ष्मी भारतीय पत्नी है। राहुल भावुक कवि है, सदैव अतृप्तता में जल कर अमर बनने की चिंता में है। उपगुप्त अशैक्ष है, अशैक्ष पर विपरीत विचारों का प्रभाव शून्य-सा ही पड़ता है। काल्पनिक पात्र हैं—राहुल, गृहलक्ष्मी, छोटे-मोटे।

अंत में मैं उन आत्मीयों का आभार नहीं भूल सकता—साहित्यकार श्री रामचंद्र 'आँसू', ललितकुमार शर्मा 'ललित', अग्रज डूंगरदास बिस्सा और अपना वह अभिन्न जिसने जीवन के प्रारम्भिक क्षणों में साहित्य की ओर मेरी अभिरुचि उत्पन्न की—जमना प्रसाद व्यास 'नूनिया'।

इस कृति का रचनाकाल 1954 ई. है।

आशा है, आप अपनी राय भेजेंगे।

—यादवेन्द्र शर्मा 'चन्द्र'

आशा लक्ष्मी,
नया शहर
बीकानेर 334004

1

मंगलामुखी ने मंद मुस्कान के साथ कहा, 'सौंदर्य जीवन की पुण्य ज्योति है।'

'नहीं। क्षण भर में अस्तित्व विलीन करने वाली एक स्फुलिंग।'

'मैं इसे नहीं मानती।' अर्धविकसित कमल-सदृश नयन खुलकर पुनः निमीलित हो गए।

'सत्य को सत्य मानना ही पड़ेगा, आज नहीं तो कल, कल नहीं तो कुछ काल पश्चात्।' राहुल ने शय्या पर शायित रूपगर्विता नारी वासवदत्ता को गंभीर स्वर में कहा, 'वासवदत्ता! एक क्षण का दंभ प्राणी को विवेकशून्य बनाता है। गत और आगत से अनभिज्ञ बनाता है पर सत्य सत्य होता है।'

'मैं नहीं स्वीकारती।'

'यौवन में मदांध वैभव सागर की उत्ताल तरंगों में प्रवाहित होने वाले प्राणी को उस मरुभूमि का ज्ञान नहीं होता जहाँ तृष्णाएँ विकलती हैं। पीड़ाएँ संचरण करती हैं।'

वासवदत्ता शय्या पर बैठ गयी। उसकी मुखाकृति तीव्र उत्तेजना के कारण अधिक आकर्षणमयी बन गयी थी।

अपने समीप पड़े हुए मधु चषक को उठाकर एक घूँट लिया फिर समीप बैठे सामन्त पुत्र लक्षाधीश मनु के हाथों में थमा दिया। मनु ने एक क्षण उसके अनुपम अंग-प्रत्यंग को निहारा—किसी अज्ञात सौंदर्य-सरोवर से निकला है यह रूप-कुसुम! अग्नि-शिखा से प्रज्वलित। अद्भुत स्वर्ग-किन्नरी सा। घनघोर-मेघ-शृंखलाओं के मध्य पूर्णिमा-चंद्र-सा।

मनु के हाथ का चषक हाथ में ही रह गया। रजत-चषक पर जड़ित एक मणि में अपने आपको देखते हुए वह बोला, 'यह अलौकिक सौंदर्य क्षणिक भले ही हो पर कविवर राहुल यह क्षण अनंत है। इस क्षण को किसी आयु की परिधि में नहीं बाँधा जा सकता।—कविवर! वासवदत्ता ठीक ही कहती है कि सौंदर्य जीवन की पुण्य ज्योति है।'

राहुल ने अपने स्कंधों से स्पर्शित केश राशि पर हाथ फेरते हुए कहा, 'यह मधु का प्रभाव है श्रीमंत!'

मनु ने राहुल की ओर देखा। सोचने लगा–यह तरुण प्रकृति विरुद्ध हो रहा है। यौवनावस्था में वैराग्य की धुन! वह मधु का घूँट लेकर वासवदत्ता से बोला, 'यह राहुल प्रकृति से विद्रोह कर रहा है। कोई बात नहीं। वस्तुतः कुछ प्राणी अपने से अत्यधिक ऐश्वर्य लोगों को साधु-संन्यासी, तपस्वी और भिक्षु बनकर विरक्ति का उपदेश दिया करते हैं।...किंतु तुम वासवदत्ता इसकी चिंता मत करो।...मुझे पिलाती जाओ।'

राहुल मन-ही-मन उद्विग्न हो उठा। वासवदत्ता उसे बार-बार आमंत्रित करके बुलाती है पर उसकी बात को तनिक भी नहीं मानती? वह अपलक दृष्टि से मदोन्मत्त वासवदत्ता को देखता रहा जो मधु के स्वर्ण पात्र से मनु का चषक भर रही थी, 'मनु! तुम जानते ही हो कि तुम नगर की प्रतिष्ठामयी पातुर के यहाँ हो, निष्ठामयी नर्तकी के यहाँ हो और विश्रुत गायिका के यहाँ हो। यहाँ रूप और मधु का अनंत निर्झर प्रवाहित होता है। तुम्हें सर्वस्व मिल सकता है। यहाँ किसी वस्तु-वैभव का अभाव नहीं।'

राहुल सव्यंग्य हँसा। बोला–'यह प्रेम और त्याग से परिपूर्ण केवल हृदय का अभाव है।'

'हृदय!' चौंक पड़ी वासवदत्ता। राहुल की ओर उन्मुख हुई। उसकी दृष्टि में व्यथा की अग्निशिखा जलती दिखाई दी जैसे उस रूपजीवा के अंतस् में दबी नारी को किसी ने कचोट दिया हो। निमिष भर वह जड़वत् रही। फिर वह एक 'जनसम दर्पण' के सम्मुख आयी।

'जो अस्ति है, वही सत्य है।' उसने प्रसंग को बदला। वह चाहती थी कि राहुल प्रेम, हृदय और त्याग की चर्चाओं से वातावरण को भाराक्रांत न कर दे।

'भोग विलास के महासागर में विलिप्त प्राणी को प्रत्येक झूठ सत्य लगता है। उसका विवेक, उसकी प्रज्ञा और उसका गुण सर्वस्व वासनालिप्त हो जाते हैं और उसे नाशवान पदार्थ जीवन के परम सत्य प्रतीत होते हैं।'

वह तुरंत राहुल के सन्निकट आयी। उसके हाथ पर अपना हाथ रखती हुई बोली, 'तुम्हारी श्रेष्ठ उपयोगिता है मेरे पास। मैं तुम्हारी वाक्चातुरी पर मग्न हो जाती हूँ। तुम मुझे जीवन-दर्शन के अन्य पहलुओं का ज्ञान कराते हो।...आओ मेरे साथ।'

वह राहुल का हाथ पकड़ कर प्रकोष्ठ में ले आयी। तारों जड़ित नील गगन। उसकी धीमी-धीमी आभा में वासवदत्ता ने राहुल से निवेदन किया, 'मैं सच कहती हूँ कि तुम पर अपना सर्वस्व अपर्ण करती हूँ।'

'मैं सर्वस्व अर्पण का आकांक्षी नहीं हूँ। मैं सौंदर्य के दंभ को सहन नहीं कर सकता। मैं वैभव को वहन नहीं कर सकता। मैं केवल तुम्हें अपने सृजन की प्रेरणा के रूप में देखता हूँ।...मुझे तुम्हारा क्षणिक रूप-समर्पण स्वीकार्य नहीं।'

'मेरा अपमान मत करो। मेरे सौंदर्य...।' वह बुदबुदायी।

राहुल खड़ा हुआ। दीवट पर रखे दीपक को उठाकर लाया। उस दीपक की

ओर संकेत करके बोला, 'यह क्या?'

'दीपक।'

'यह दीपक तुम्हारा 'अस्ति' है। यह अपने प्रकाश पुंज से तुम्हारे सौंदर्य और वैभव की सृष्टि को भासित करता है। जीवन की समस्त वैभव कलाकृतियों, सुखद उमंगों-तरंगों व उत्थान-पतन का दर्शन कराता है किंतु जब यह बुझ जाएगा तो?'

'तो?'

'तो घोर शून्यता छा जाएगी, निविड़ तिमिर छा जाएगा।' और राहुल ने फूँक से दीपक को बुझा दिया। प्रकोष्ठ में अंधकार का साम्राज्य स्थापित हो गया। कुछ क्षण पूर्व जो अतुल वैभव राशि बिखरी पड़ी थी, वह केवल कालिमा प्रतीत हो रही थी, एक धब्बा-सी दिखाई पड़ रही थी।

राहुल बोला, 'यह अंधकार ही सत्य है। यह अंधकार ही आलोक है। कहाँ है तुम्हारा सौंदर्य रूप और वैभव!...कभी एक झटके में अदृश्य हो जाएगा...नमस्कार वासवदत्ता।'

वासवदत्ता विमूढ़-सी खड़ी रही। चतुर्दिक अंधकार विस्तृत था। राहुल चला गया तो उसे अपने अस्तित्व का ज्ञान हुआ। वह अंधकार में आकुल हो उठी। परिचारिका को त्वरा से दीप ज्वलित करने की आज्ञा दी और स्वयं उन्मन-सी केलि-कक्ष में गयी जहाँ मनु आसव के अतिरेक में लुढ़का पड़ा था।

'मनु!' उसने उसे थोड़ी देर झिंझोड़ा।

'क्या है?' वह बुदबुदाया।

'रथ तैयार है। निशीथ हो गयी है। तुम जाओ।'

'नहीं, आज मैं नहीं जाऊँगा वासवदत्ता। अतृप्ति में दहक रहा हूँ। अमात्य-पुत्र को ऐसी अतृप्ति में जाने के लिए मत कहो।'

'मैं शयन कक्ष में जाती हूँ। तुम यहीं...।'

मनु ने वासवदत्ता का हाथ पकड़ लिया। कहा—'यह अत्याचार है। इसकी प्रतिक्रिया असंतोष को जन्म देगी और असंतोष कभी-कभी प्राणी को अपराध की ओर भी अग्रसर कर देता है।'

'मैं विवश हूँ।' कहकर वासवदत्ता केलि भवन से बाहर निकल गयी और असंतोष की अग्नि में दहकता हुआ मनु आसव पान करता रहा और कब वह पीते-पीते अचेत-हो गया, वह स्वयं नहीं जान सका।

2

प्रतीची के प्रांगण में तिमिर का संपूर्ण पराभव हो चुका था और प्राची में प्रकाश का उद्भव। प्रभात की स्वास्थ्यवर्धक समीरण मंद-मंद गति से प्रवाहित होने लगी थी।

गगन मंडल में प्रातः आगमन का संदेश सुनाने के लिए पक्षी उड़ रहे थे।

नगर वीथियों से व्यापारियों का आगमन हो रहा था।

धीरे-धीरे हल्का-हल्का कोलाहल धरती से उठकर नभ की ओर बढ़ रहा था।

नगर की सुप्रसिद्ध नर्तकी-गणिका वासवदत्ता के दर्शनीय भवन के सम्मुख से एक अत्यंत सज्जित रथ ने प्रस्थान किया। उसमें नगर का सामंत पुत्र मनु विराजमान था। उसकी पलकें अभी भी उनींदी थीं। तन के वस्त्र अस्त-व्यस्त थे, जिससे सहज ही इस बात का अनुमान लगाया जा सकता था कि मनु आज सदैव से तनिक, समय पूर्व प्रस्थान कर रहा है—श्रेष्ठ नगर की नागर नर्तकी के गृह से; क्योंकि वे प्रायः सज्जित होकर ही यहाँ से प्रस्थान किया करते थे।

मनु वासवदत्ता पर आसक्त था। उस पर सर्वस्व विसर्जन करने के लिए तत्पर था। आज से नहीं—पूरा एक वर्ष व्यतीत हो रहा था जब मनु ने वासवदत्ता को एक राजकीय उत्सव में नृत्य करते देखा था।

कितनी सलोनी व आकर्षक थी वासवदत्ता!

मनु उसे देखकर मुग्ध हो गया था, प्रथम दर्शन पर ही मोहित हो गया था पर तत्काल हृदय के समस्त उद्वेगों का शोषण करके वह शांत बैठा रहा।

अंतर में घोर अशांति थी और नयनों में आंतरिक आकुलता।

मनु उत्कंठा से चाह रहा था कि नर्तकी उसे एक बार देखे, बस एक बार, केवल एक बार।

वह यौवनोन्मुखी नर्तकी केवल नृत्य कर रही थी—संगीत की मधुर स्वरलहरी पर, वाद्ययंत्रों के निर्देशन पर।

उस उपेक्षा से मनु तड़प उठा। अपने आप से कह बैठा—दंभिनी!...

एकदम दंभिनी निकली वासवदत्ता।

क्या करता मनु?

सौंदर्य, माधुर्य और चातुर्य की प्रतिमूर्ति वासवदत्ता कैसे चुंबक के सदृश अपनी ओर आकर्षित करती जा रही थी।

लाचार हो उसने खाँसा। सोचा—इस अशिष्टता के कारण वासवदत्ता उसे अवश्य देखेगी, चाहे सरोष ही।

पर पाषाण-हृदयी नायिका ने इस बार भी मनु पर दृष्टिगत नहीं किया।

फिर मनु झुँझला उठा—'निर्मोहिनी!'

पर वासवदत्ता अपनी ही तन्मयता में झूम रही थी—घुँघरू की झंकार पर।

सामंत-पुत्र की आकुलता बढ़ती ही गई।

कार्यक्रम निश्चित समय पर समाप्त हो गया। नृत्य रुका। तालीवादन हुआ। मधुर कल्पनाओं व उधेड़बुनों में खोया जन-समूह चौंककर कह उठा—'सुंदर, अति सुंदर!'

और देखते-देखते उपहारों के ढेर लग गए—नर्तकी के चरणों पर। जैसे लक्ष्मी सौंदर्य के चरणों में पड़कर अपने को सौभाग्यशाली मानती है।

मनु विवेक-विस्मृत सा वासवदत्ता की ओर उन्मुख हुआ! वासवदत्ता ने अपनी ओर आते हुए मनु को अर्थभरी दृष्टि से देखा—पूर्ण यौवन, सुंदर, आकर्षक।

वासवदत्ता अनिमेष दृष्टि से देखती रही—उस युवक को और युवक भी चाहभरी दृष्टि से देख रहा था उसे।

समस्त दर्शकगण इस नाट्य-दृश्य को मौन होकर देख रहे थे।

संगीत-शास्त्री अबोध बालक की भाँति उस युवक को वासवदत्ता के सन्निकट देखने लगे और वासवदत्ता भी उस युवक का इतने बड़े जन-समूह के समक्ष निकटतम सामीप्य पाकर 'प्रस्तर-प्रतिमा' की भाँति जड़वत हो गई।

मनु ने अस्फुट स्वर में कहा—'धन्यवाद!'—उसका मुँह वासवदत्ता के कपोल के निकट हो गया था—'श्रेष्ठ सुंदरी! अनुपम नृत्य करने और मधुर गीत गाने के लिए तुम्हें कोटिशः बधाइयाँ!' और उसने वासवदत्ता का कोमल कर अपने कर में लेकर उसकी अंगुली में एक अत्यंत अमूल्य मुद्रा पहना दी।

एक क्षण पश्चात् सारे मण्डप में हलचल मच गयी।

वासवदत्ता स्वयं संकोच में गड़ी जा रही थी और नगर का सामंत-पुत्र मनु उससे हठात् विलग होकर उत्सव-मंडप से बाहर आकर अपने रथ पर आरूढ़ हो गया।

रथ चल पड़ा।

यह था उन दोनों का प्रथम मिलन—

नगर के सामंत-पुत्र मनु का—

नगर की प्रसिद्ध गणिका वासवदत्ता से।

3

सांध्य-प्रदीप नगर के समस्त गृहों में प्रज्वलित हो चुके थे।

शांत होता हुआ कोलाहल अस्त होते सूरज की भाँति एक बार सतेज हो करके कर्ण-कुहरों को अप्रिय-सा लगने लगा था।

कुछ प्रवासी व्यवसायी गाड़ियों पर माल लादे अपने-अपने लोक-गीत गुनगुनाते

जा रहे थे।

काम से निवृत्त नगर का तरुण वर्ग उद्यानों एवं भ्रमणीय-रमणीय स्थानों की ओर प्रस्थान कर रहा था।

मनु ज्यों ही नूतन वस्त्र पहनकर गृह से भ्रमणार्थ बाहर जाने के लिए उद्यत हुआ त्योंही उसकी युवा पत्नी गृहलक्ष्मी ने विनयपूर्वक कहा—'स्वामी! आज सांध्य-वेला बिना भोजन किए बाहर जाने का कारण?'

'सुमुखि! विशेष कारण नहीं। आज तनिक मन उन्मन है अतः बिना भोजन किए ही बाहर जा रहा हूँ, शायद आज रात खाऊँगा भी नहीं।'—एक अनिश्चितता थी मनु के स्वर में और वह तुरंत गृह से बाहर चला गया। गृहलक्ष्मी उसे शंका भरी दृष्टि से देखती रही।

एक पल ही बीता था कि सारथी ने आकर नतमस्तक होकर कहा—'स्वामी ने कहलाया है कि आज उनका किसी मित्र के यहाँ जाने का कार्यक्रम है, इसलिए वे रात को लौटेंगे भी नहीं।'

गृहलक्ष्मी ने विनयपूर्वक कहा—'मेरी ओर से आग्रह के साथ कहना कि रात को गृहस्थी का घर से बाहर रहना श्रेयस्कर नहीं होता है, फिर भी श्रीमंत की अपनी इच्छा।'

सारथी उत्तर सुनकर चला गया।

रथ ने हौले-हौले प्रस्थान किया।

गृहलक्ष्मी ने आकर अपनी परिचारिका देविका को पुकारा।

देविका मनु की क्रीत दासी थी। आज से नहीं, जब वह आठ साल की थी तो मनु ने उसे क्रय किया था। जब वह अपने पिता से बिछुड़ रही थी, तत्काल वह सिसक-सिसक कर रोयी थी। पर आज तो उसके अंग-प्रत्यंग से यौवन टपक रहा था। तरुणाई की अरुणाई उसके कपोलों पर दीप्त हो गयी थी। उसकी प्रत्येक गति में एक अपना अनोखापन था। गृह-स्वामिनी के पुकारने का स्वर सुनकर वह भागी-भागी आयी। पूछ बैठी—'क्या है?'

'आज तुम्हारे स्वामी रात को विलंब से आएँगे, न आने की भी संभावना है।'—स्वर में गहरी निराशा थी।

'ऐसा कभी हो सकता है?' देविका ने अविश्वास प्रकट किया।

'हुआ तो नहीं पर होने के लक्षण दिखाई दे रहे हैं; क्योंकि मेरे हृदय में संदेह के अंकुर उगे जा रहे हैं।'

'नारी जाति का हृदय ही संदेहमय होता है। आप तो एक साधारण नारी हैं। स्वामिनी! बड़ी-बड़ी महासतियाँ और महादेवियाँ भी शंका-संदेह से नहीं बची हैं।'

'आज उनका मन भी अशांत था?' गृहलक्ष्मी ने फिर कहा।

'हो सकता है।...पुरुष जाति है, संसार की अनेक चिंताएँ लगी रहती हैं—वाणिज्य

की, समाज की, धर्म की, देश की। पर आप व्यर्थ ही चिंतित होती हैं। मैं कहती हूँ, वे रात को आएँगे और अवश्य आएँगे।'—कहकर देविका तीर की भाँति चली गयी। गृहलक्ष्मी उस ओर देखती रही, विचारती रही और अंत में शनैः-शनैः चरण उठाती शृंगार कक्ष की ओर चल पड़ी।

अपने पति की तनिक उपेक्षा से गृहलक्ष्मी आज अत्यंत शंकाकुल हो उठी। बार-बार वह 'जनसम-दर्पण' के सम्मुख जाकर अपनी रूप छटा को निहारती थी, उस पर किंचित विवेचना करती थी फिर अपने मन से अपने मन की बातें कहने लगी—'विधाता की इस कृति में भी किसी प्रकार का अभाव नहीं, फिर भी आराध्यदेव की अप्रत्याशित-सी उपेक्षा...ऐसा क्यों?' उसने अपनी ओर गर्व से निहारा।

चंद पलों के उपरांत वह तुरंत शृंगार करने बैठ गयी।

आज उसने शृंगार में देविका का भी संबल लेना उचित नहीं समझा। वह स्वयं बड़ी चतुराई से अपना शृंगार कर रही थी जैसे आज के इस शृंगार में एक रहस्यमय सार निहित है। शीश से लेकर नख तक उसने बेजोड़ शृंगार किया।

उस अनुपम रूप में वह नव परिणीता-सी लगने लगी।

अपने पति को अपने यौवन पर विमोहित करने के लिए उसने अपनी कंचुकी को और कस लिया था।

एक बार उसने पुनः दर्पण में देखा।

यौवन स्वयं बोलने लगा था।

मानिनी कामिनी की भाँति वह सँभल-सँभलकर चरण उठाती शयन कक्ष के द्वार पर खड़ी होकर मनु की प्रतीक्षा करने लगी।

रजनी रानी तारों की चुनरी ओढ़े अपने मुख चंद्र को घन-घूँघट में छिपाने की क्रीड़ा कर रही थी।

वातावरण शून्य और शांत होता जा रहा था।

पुतलियों पर पलकें-रूपी आवरण बरबस छाता जा रहा था। कभी-कभी वह निमिष भर के लिए सो भी जाती थी; लेकिन सुप्तावस्था में ऐसे चौंक पड़ती थी जैसे उसकी सुखद निद्रा में किसी निर्दयी ने जोर का आघात कर दिया हो।

निशीथ-वेला में वह उठी और प्रकोष्ठ में चहलकदमी करने लगी। रह-रह उसके मानस-पटल पर मनु की अलौकिक छवि नाच उठती थी।

और मनु...?,

गृह से प्रस्थान करने के पश्चात् उसका रथ सीधा नर्तकी के विशाल भवन के समक्ष रुका।

नर्तकी वासवदत्ता वातायन में बैठी-बैठी राज-पथ का आवागमन देख रही थी। आज उसने पुष्प-शृंगार कर रखा था। रथ के रुकने के क्रम को देख करके उसने परिचारिका को आज्ञा दी कि वह सामंत श्री को सम्मान सहित भीतर ले आए और

स्वयं तोरण-द्वार की ओर उन्मुख हुई—उनके स्वागत हेतु।

मनु ने प्रवेश करते ही भव्य-भवन की सजावट को देखा और तत्पश्चात् रूपागार वासवदत्ता को। वह मनु के समक्ष संकोच से गड़ी जा रही थी।

दोनों एक-दूसरे को कुछ क्षण के लिए देखते रहे—अप्रतिभ से विमोहित से।

वासवदत्ता को प्रतीत हुआ कि उसके समक्ष स्वयं 'काम' खड़ा है, रति-पति अनंग-सुडौल, सुंदर और सलौना।

न जाने क्यों वासवदत्ता की पलकें धरती की ओर झुक गयीं। प्रणाम के लिए कर आबद्ध हो गए। संकेत भीतर प्रविष्ट करने का हुआ। मनु ने यंत्रवत् भीतर प्रविष्ट किया।

गद्दे पर आसीन होते हुए मनु ने मौन भंग किया—'पहचानती हो श्रेष्ठ गणिके हमें?'

'जी श्रीमंत! राजकीय-उत्सव में यह मुद्रा आपने ही पहनाई थी?' उसका संकेत अँगुली की ओर था।

'यह भी जानती हो कि हमने यह मुद्रा तुम्हें क्यों पहच मनु की आँखों में एक परिचित प्रश्न और उसका उत्तर दोनों थे, तो भी वासवदत्ता के मुखारविंद से सुनने हेतु उसने ऐसा पूछा।

'रूप पर आसक्ति?'—थोड़ा कहकर वासवदत्ता मनु के समीप बैठ गयी। मनु ने टेढ़ी भौंहें करके वासवदत्ता को देखा—वासवदत्ता अपने हाथ की हस्त-रेखा को ध्यान मग्न-सी देख रही थी।

'आसक्ति क्यों कहती हो? क्या प्रेम से नहीं?'

'प्रेम का प्रादुर्भाव इतना सहज नहीं है श्रीमंत?...और आसक्ति तो आकर्षण का प्रथम चरण है। आपने मुझे समारोह में एक दृष्टि भर को देखा और उस पर आपने अपना कौटुंबिक गौरव विस्मृत करके भरी सभा में यह मुद्रा पहनाई।...मैं पूछती हूँ कि आपने ऐसा क्यों किया?'—एक आग्रह था उसके स्वर में।

'प्रेमवश।'—छोटा-सा उत्तर दिया मनु ने।

'आप जैसे भद्रजन के लिए मिथ्या-भाषण शोभनीय नहीं लगता! श्रीमंत! कविवर राहुल ने कहा है—प्रेम वही है जो निर्द्वंद्व, निष्काम, निर्विकार और निर्विषय हो और आप मेरे यहाँ हृदय में उठते झंझा की तृप्ति के लिए नहीं आए हैं?...सच बताइए कि आप मेरे इस अनुपम सौंदर्य की जीवन भर अर्चना करेंगे?...कदापि नहीं।'—वासवदत्ता की वाणी में दृढ़ता के साथ-साथ गंभीरता का भी समावेश हो गया।

मनु कुछ विचलित हुआ।

वार्ता तूल न पाए इस वास्ते विषय को परिवर्तित करता हुआ मनु बोला—'रूपसी!'

'रूपसी!' चौंक पड़ी वासवदत्ता।

'हाँ, मैं तुम्हें भिन्न-भिन्न नामों से पुकारना चाहता हूँ। इससे मुझे आनंद की

अनुभूति होती है।'

'नगर के प्रतिष्ठित सामंतों, सेट्ठिपुत्रों व अमात्यों को आनंदित करना मेरा धर्म है।'—स्पर्श किया वासवदत्ता ने।

मनु रोमांचित हो उठा। अपनी कंपनमयी वाणी पर तनिक आधिपत्य जमाता हुआ मनु बोला—'रात व्यतीत हो रही है गणिके, अपने धर्म का पालन करो?'

'इस सेविका को स्मरण है। प्रारब्धवश जिस दशा में हूँ उसी दशा के धर्म को मैं पूर्ण रूप से पालन करने को तैयार हूँ। आज्ञा दीजिए श्रीमंत?'—वासवदत्ता नत मस्तक हो गयी।

'मैं आसव चाहता हूँ!'—मनु ने समीप पड़े सुरा की ओर संकेत करके कहा—'एक चषक भरकर दो, कोई मनोहारी नृत्य दिखाओ; ऐसा नृत्य जो मेरे हृदय-कुसुम को विकसित कर दे।'

वासवदत्ता ने मुस्कान के साथ आसव-चषक मनु के कर में थमा दिया। पल भर के लिए वह मनु के सन्निकट बैठी। उसके तन से मनु के कर का स्पर्श हुआ। मनु का मन विचलित हो गया। हठात् उसने वासवदत्ता को अपनी ओर खींच लिया।

वासवदत्ता भयभीत-सी स्थिर नयनों से उसको देखने लगी।

मनु के हृदय में मची हुई घोर अशांति से वह भली-भाँति परिचित थी। वह अच्छी तरह जानती थी कि यहाँ पर आने वाला प्रत्येक प्राणी सर्वप्रथम इसी भाँति प्रेमाभिनय करता है और वासना की तृप्ति के अनंतर उसके दर्शन दुर्लभ हो जाते हैं। अतः अपने को सँभालती तथा मनु को सचेत करती हुई वह बोली—'मर्यादा का उल्लंघन अच्छा नहीं है श्रीमंत! मैं आपके लिए अभी नृत्य कर सकती हूँ, केवल नृत्य।'

'नहीं रूपसी!'—मनु की विकल आँखों में मनुष्य की दुर्बलता जाग पड़ी—'मैं तुम्हें मुँह माँगा धन दूँगा।'

'एक ही बार, लेकिन एक बार में इस पापी पेट की क्षुधा क्या शांत हो सकती है?' वासवदत्ता की वाणी में ज्वाला-सी तपिस थी।

'मैं तुम्हें प्यार करता हूँ।'

'इतना शीघ्र धन से सौदा करने वाले प्यार नहीं कर सकते। यदि वे ऐसा कहते हैं तो मिथ्या कहते हैं।...श्रीमंत! धन मन पर विजय नहीं कर सकता। उसके लिए कुछ चाहिए?'

'कुछ क्यों?...आज्ञा करो रूपसी! तुम्हारी प्रत्येक अभिलाषा, निमिष भर में पूर्ण कर देता हूँ। आज्ञा करो!'

मनु की विकलता बढ़ती ही जा रही थी। वासना की घनीभूत छाया बसाए उसके चक्षु नर्तकी से कुछ माँग रहे थे।

'आज्ञा का पालन करेंगे श्रेष्ठवर?'— '

'संदेह करना तुम्हारा अपराध है और मेरा अपमान।'

'आप मुझे वचन देंगे?'

'दिया।'

'श्रीमंत आप इसी पल यहाँ से चले जाइए। मैं एकांतवास चाहती हूँ।'—वासवदत्ता ने आज्ञा दी।

मनु के पाँवों के नीचे की धरती खिसक गयी। नयन औसतन आकार से और बड़े हो उठे। पुतलियाँ नितांत स्थिर हो गयीं।

मनु अपने आप ही कह उठा—'कितनी असह्य आज्ञा है!' इस आज्ञा से मनु की भावनाओं पर आघात लगी। पीड़ा से तिलमिलाते रुग्ण व्यक्ति की भाँति उसने बोलने के लिए अपनी जिह्वा को खोलना चाहा, पर वासवदत्ता ने अपना बायाँ हाथ फैलाकर कहा—'श्रीमंत वचनबद्ध हैं आप!'

'हमें अपनी प्रतिज्ञा स्मरण है।'

'मैं भी यही आशा रखती हूँ।'

मनु तुरंत बाहर जाने लगा। वह दो डगर चला ही था कि पुनः लौटकर आया और अपना 'गल-हार' वासवदत्ता को पहना दिया।

रथ पुनः जिस ओर से आया था, उसी ओर चला।

राज-पथ पर घोर अँधेरा था और उस अँधेरे में अवश मन लिए मनु समुद्र की लहरों की सदृश कितने ही संकल्प-विकल्प लिए अपने गृह की ओर प्रस्थान कर रहा था। एकदम हताश और एकदम विक्षुब्ध।

4

रथ मनु के गृह-द्वार पर रुका।

प्रहरी ने अभिवादन के साथ द्वार खोला।

मनु शंकाकुल प्रविष्ट हुआ।

सारा वातावरण मौन था। सौरभ से महक रहा था।

शयन-कक्ष में अभी भी प्रकाश जगमगा रहा था।

मनु उसी ओर चल पड़ा। कक्ष के प्रकोष्ठ में गृहलक्ष्मी अशांति में चहलकदमी कर रही थी। मनु की पद-चाप सुनकर वह भावातिरेक होकर उसके चरणों में जा गिरी। उसके नयनों से अश्रुस्राव होने लगा। उसके अंतर में मार्मिक वेदना है, ऐसी उसकी आकृति की निगूढ़ वेदना से लग रहा था।

गृहलक्ष्मी को अपने दोनों हाथों से उठाते हुए मनु ने पूछा—'क्या बात है कल्याणी?'

'मैंने पाप कर लिया है मेरे प्रभु!' अनुनय के साथ गृहलक्ष्मी ने कहा—'पाप

भी ऐसा, जो सबसे हेय समझा गया है—मनसा।'

'मैं समझा नहीं कल्याणी, स्पष्ट में कहो।' मनु ने उसे सांत्वना दी।

'मैंने आप पर संदेह किया था।'

'मुझ पर?'—विस्मय से पूछा मनु ने।

'हाँ, आपके चरित्र पर।'

'मेरे चरित्र पर, क्यों, किसलिए कल्याणी?'

'सच कथन पाप का प्रायश्चित्त माना गया है।' उसने कुछ रुककर कहा—'मैंने आपके प्रस्थान करने के पश्चात् इस बात का अनुमान लगाया कि आप गणिका के यहाँ गए हैं क्योंकि आप उस पर आसक्त...।'

बीच में ही बात को काटता हुआ मनु संयत स्वर से बोला—'संदेह सही है प्रिये! आज मैं गणिका के यहाँ ही गया था, नगर की श्रेष्ठ गणिका वासवदत्ता के यहाँ।'

'नाथ!' तड़प उठी गृहलक्ष्मी। उसे रोष आया अपने पति पर, समस्त पुरुष जाति पर। सोचने लगी—कैसे छली हैं ये पुरुष?...प्रवंची, हृदयहीन और पाषाण!

'यह क्यों?' गृहलक्ष्मी ने प्रकट होकर हठात् पूछा।

'मेरी इच्छा।' हठात् उत्तर दिया मनु ने।

'और मेरा अधिकार?'

'धार्मिक गठबंधनों के अधीन हैं। स्त्री केवल आज्ञाकारिणी होती है। उसके अधिकारों की एक परिधि होती है। परिधि के बाहर उसका कोई अस्तित्व नहीं, कोई गणना नहीं।' मनु रुखाई से बोला।

'पर यह पथ पतनोन्मुखी है। धर्मोचारण विरुद्ध है।'

'मैं जानता हूँ। मुझे समझाने की कोई आवश्यकता नहीं।' मनु ने रुककर तुरंत कहा—'तुम्हें अत्यधिक अधिकार की लिप्सा दंभित कर रही है...तुम तो गृहलक्ष्मी हो, गृह की शोभा हो, मानमर्यादा बनकर रहो। पुरुष की स्वतंत्रता को सीमाबद्ध करने का प्रयत्न न करो। उससे कटुता जरूर बढ़ेगी पर पाओगी कुछ नहीं।' मनु एक दार्शनिक के स्वर में बोला।

'उपदेश ग्राह्य है पर मैं भी अपने अंतर के भावों को प्रकट करना अपना कर्त्तव्य समझती हूँ।' गृहलक्ष्मी और सजग हो गयी—'जिसके संग से सत्य, पावनता, करुणा, मौन, विवेक, श्री, संकोच, कीर्ति, क्षमा और सौभाग्य का नाश होता है ऐसी नारी का संग बुद्धिमानों का काम नहीं।'

'शलभ निठुर लौ की प्रीति में परिचित होकर भी उसके अंक में अपने प्राण उत्सर्ग कर देता है, ऐसा क्यों?'

'अज्ञानवश!'

'मुझे भी तुम ऐसा ही समझ लो।'

'कैसे समझ लूँ?...शलभ और मनुष्य का अंतर तो दृष्टि-ओझल नहीं किया जा सकता। मनुष्य मेधावी होता है। उसे भले-बुरे का ज्ञान होता है।'

'उसकी मेधा वातावरण में नवीनता चाहती है। उसका ज्ञान एक नूतन तृष्णा को अपने में समाए रहता है और वह तृष्णा बावरी होती है।'

'जो प्राणी विषय-तृष्णा के अधीन है, उसके संकेत पर नाचता है। वह पुरुष मदारी का वानर होता है।'

इस व्यंग्य ने मनु पर गहरा आघात किया। मनु तीव्र स्वर से बोला—'गृहलक्ष्मी! नर और नारी के आवर्तन भिन्न-भिन्न होते हैं। पुरुषों को, विशेषकर आभिजात्य वर्ग के पुरुष को भोग-विलास करने का पूर्ण अधिकार है, परंपरागत स्वत्व है।...तुम पत्नी हो, और पत्नी होकर पति को शिक्षा देने का दुस्साहस करना क्या अपराध नहीं?'

'हो सकता है; लेकिन मैं आपकी पत्नी हूँ, सहधर्मिणी हूँ, मित्र हूँ और सच्चा मित्र वही हो सकता है जो अपने मित्र के अवगुणों को दर्पण के समान यथार्थ रूप में बता सके और मेरा...?'

'तुम्हारे उपदेश की मुझे कोई आवश्यकता नहीं।' झुँझला उठा मनु—'भूल तो मैंने की कि तुम्हें सच-सच बता दिया अन्यथा तुम्हें मैं एक मिथ्या भ्रम में सदैव रख सकता था।'—पश्चात्तापजनित आवेश में काँप गया मनु।

गृहलक्ष्मी ने थोड़ी देर तक मनु के मुख के भावों को पढ़ा। उसने सोच लिया कि यदि वह मनु की इस बात की और कटु-सत्य आलोचना-प्रत्यालोचना करेगी तो इसका परिणाम अकल्याणकारी होगा। मनु आभिजात्य वर्ग का लाड़ला बेटा है अतः नारी की आत्मा से खेलना परंपरागत बात है। नारी इसके लिए मात्र भोग्या है, वस्तु समान है।—अतः उसने परिस्थिति के संग अपने को छोड़ने का निश्चय किया। भविष्य में जो होगा, उसे वह देखेगी, समझेगी—एक पतिव्रता आर्य सती-नारी की भाँति।

फिर भी एक दार्शनिक की भाँति मनु को संबोधित करती हुई वह पुनः बोली—'मन ही मन का बोधक होता है, मन ही मन का साधक होता है, मन ही मन का बाधक होता है, मन ही मन का घातक होता है।...मन को बाँधने का प्रयास कीजिए, उसमें ही कल्याण है। मैं तो आपके चरणों की दासी हूँ, रज हूँ, मेरा क्या...?'

वह उठी।

एक बार उसने अपने सद्यःस्नात हिम धवल प्रभापुंज सम गात को देखा, उप्पल के सदृश दीर्घ कजरारे नयनों को निरखा, अतृप्त अधरों पर आशंका की शुष्कता को पहचाना और धीरे से चरण उठाती अपनी सुख-शय्या की ओर बढ़ गयी।

मनु एक असंतोष लिए उसे देखता रहा। वह अंतर्ज्वाल में जल रहा था।

5

प्रेम!

जीवन की महानतम निधि जिसे प्राप्त करके प्राणी आंतरिक सुख पाता है।

तत्वज्ञानियों, संतों व अनेकानेक महान् पुरुषों ने प्रेम को सर्वोत्तम स्थान प्रदान किया है—जप, तप और वैराग्य से सुनती हूँ, जहाँ प्रेम से प्रभु-पुकार होती है, वहाँ ईश्वर को आना ही पड़ता है।

आशावादी प्रेमी कहते हैं—प्रेम में जो तड़पन है, व्यथा है, विकलता है और रोदन है, वे सब प्रगाढ़ प्रीति के भावानुभाव हैं। प्रेम के आँसू वरदान होते हैं।

मनीषियों ने कहा है—प्रेम की स्थिति एक-सी रहती है, उसे प्रतिक्षण अपने प्रिय से मिलने की छटपटाहट होती रहती है। वह सदा अतृप्त ही बना रहता है। प्यारे के सिवा उसे कोई नहीं भाता।

असफल प्रेमी हृदय को धैर्य देने के लिए उपदेश के रूप में प्रेम की व्याख्या करता है—प्रेम सदा ही सहिष्णु और मधुर होता है। प्रेम ईर्ष्या नहीं करता, आत्मश्लाघा नहीं करता, गर्व नहीं करता, दुष्टाचार नहीं करता, शीघ्र क्रोध नहीं करता, कुछ बुरा नहीं मानता, सदा सुखी रहता है।

राहुल अपनी कविता में कहता है—प्यार की एक भी चिनगारी किसी के हृदय में पड़ जाय, उस हृदय को निहाल समझना चाहिए, पर यह चिनगारी बड़ी निर्दयी होती है। सरलता से उर में सजग नहीं होती। इसे प्रज्वलित करने के लिए कठोर साधना की आवश्यकता पड़ती है, महान् त्याग की अनिवार्यता होती है।

प्रेम शब्द तो है एक।

व्याख्याएँ उतनी जितने मस्तिष्क?

अद्भुत जंजाल!

जटिल समस्या!!

लेकिन...? वासवदत्ता ने अपने बिस्तरे पर करवट लेते हुए मन-ही-मन कहा—'लेकिन मेरा अपना मत है कि प्रेम एक वासना है, ज्वलित वासना...बस।'

इतनी देर तक सोचने के पश्चात् वासवदत्ता अन्यमनस्क-सी उठी और राजपथ वाले प्रकोष्ठ में आकर खड़ी हो गयी।

रजनी विलास के सागर में तैरती हुई नगरी से अवतरित हो रही थी। राजकीय-प्रकाश-स्तंभ के प्रकाश से पथ आलोकित हो रहा था। उस आलोक में आवागमन करते हुए यात्रियों की आकृतियाँ स्पष्ट रूप से दृष्टिगोचर हो रही थीं। वासवदत्ता आज आकुलता के साथ किसी की प्रतीक्षा कर रही थी। उसके प्रतीक्षा-रत बावरे नयन देख रहे थे—दूर, बहुत दूर, बिल्कुल दूर। उसे राहुल की बातें स्मरण हो उठीं और स्मरण हो उठा उससे उसका प्रथम मिलन।

उसी दिन एकाएक उसे अपने प्रहरी का तीव्र स्वर सुनाई पड़ा—'भद्रजन! यहाँ केवल आभिजात्य-वर्ग ही प्रवेश कर सकता है। जन-साधारण के लिए साधारण गणिकाएँ होती हैं। यह तो नगर की प्रतिष्ठामयी नगर-वधू की अट्टालिका है।'

'जानता हूँ मैं, लेकिन आभिजात्य-वर्ग की पहचान—सुंदर रथ और चमकदार वस्त्र तो नहीं होते हैं? प्रत्येक प्राणी अपने हृदय की विशालता व उदारता से भी महान् होता है।'

'यहाँ धन का विशेष महत्त्व है। संपत्तिहीन प्राणी का यहाँ सत्कार संभव नहीं।'

'संपत्ति!'—राहुल दर्प से बोला, 'मेरे पास वह संपत्ति है, जिसकी समानता तुम्हारे नगर के समस्त सेट्ठिपुत्र और सामंतगण भी नहीं कर सकते। समझे?'

'दृश्य और श्रव्य में अंतर होता है?'

'चर्म और कर्म में भी अंतर होता है?'

'तात्पर्य?'

'काग-नीड़ में पिक शिशु रहने से वह काग नहीं बनता। अस्वच्छ वस्त्र पहनने से ही मनुष्य की श्रेष्ठता और महत्ता कम नहीं होती।!'—क्रोध से वक्र दृष्टि करके राहुल सरोष बोला—'जाओ, अपनी अभिमानिनी स्वामिनी से कहो कि कोई ब्राह्मण-पुत्र तुमसे भेंट करना चाहता है।' राहुल आज जान-बूझकर साधारण भेष में आया था।

प्रहरी भीतर गया।

आगंतुक विचार-मग्न-सा तोरणद्वार की सीढ़ी पर चहलकदमी कर रहा था। प्रहरी ने आकर अभिवादन के संग विनम्रता से कहा—'श्रीमान्! देवी की आज्ञा है कि आप ससम्मान सम्मुख लाए जाएँ। ऐसे योग्य व वाक्-पट युवकों का मैं हार्दिक सम्मान करती हूँ।''

आगंतुक के अधरों पर व्यंग्यात्मक हँसी दौड़ पड़ी—'राजकीय पद्धति का अनुसरण कर रही है गणिका! और क्यों न करे? समय है, समय सर्वस्व कराता है।'

सीढ़ियों को पार करके वह वासवदत्ता के अद्भुत शयनागार में आया। दोनों की दृष्टि टकरायी।

अल्पकाल के लिए दोनों निश्चल हो गए। एक-दूसरे के सौंदर्य का रसास्वादन करते रहे—मंत्र-मुग्ध से।

एक पल, दो पल और तीसरे पल वासवदत्ता के होंठ अनायास ही फड़क उठे—'कितना सुंदर है?'

'क्या कहा?'—तुरंत पूछा राहुल ने।

'मैंने? मैंने कुछ नहीं कहा।'

'तो फिर किसने कहा?'

'मन ने।'

'क्यों?'

'मोहित होकर।'

'बड़ा चंचल है?'

'अवश्य!'

'बड़ा रसिक है?'

'होना ही चाहिए।'

'बड़ा आसक्त है।'

'अवश्य!'

'शीघ्र पतनगामी होगा।'

'क्या कहा?'—सावधान होती हुई वासवदत्ता बोली।

'जो मेरे मन ने चाहा, मन पर किसी का अधिकार नहीं होता।'—अपनी पीठ को उसकी ओर करते हुए नवागंतुक तरुण ने कहा। वासवदत्ता उसके चातुर्य पर रीझ गयी।—युवक अत्यंत कुशाग्र बुद्धिवाला है।

'तरुण! आपका शुभनाम?'

'तुम जानती नहीं हो?'

'नहीं।'—वासवदत्ता ने विनम्रता से कहा और उसे बैठने का संकेत किया—'आप आसन ग्रहण कीजिए।'

'मेरे विचार से तुम मुझे जानती हो, यदि पहचानने का प्रयास करो तो जान जाओगी कि मैं कौन हूँ?—तरुण बैठ गया।

'पहेलियाँ बुझा रहे हैं, आप?'

'तुम अपने मन को कष्ट देना नहीं चाहती हो। लोग मुझे कवि राहुल कहते हैं। मैं नगरपति का अपना कवि हूँ। जानती नहीं हो कि नगरपति मेरे गीत सुने बिना चैन से नहीं रहते।'

वासवदत्ता के कानों को एक बार विश्वास नहीं हुआ। वह अनिमेष दृष्टि से राहुल को देखती रही। विह्वल-सी होकर बोली—'आज मेरे भाग्य के समस्त द्वार खुल गए। आज ही मैंने आपको स्मरण किया था और आज ही आप आ गए इसलिए आपकी आयु दीर्घ है और मैं भगवान से यही प्रार्थना करूँगी।'

'यह प्रार्थना शुभ नहीं। अधिक जीने वाले अधिक पाप करते हैं; अतः व्यक्ति को उतना ही जीना चाहिए, जितना वह अच्छे आचरण के साथ जी सके।'—राहुल के अधरों पर हल्का उपहास था।

वासवदत्ता अभी तक उसे चाह-भरी दृष्टि से देख रही थी। राहुल अपनी गंभीर दृष्टि से सज्जित शयनागार को देख रहा था। एकाएक उसने मौन भंग किया—मैंने एक गीत की रचना की थी। गीत का शीर्षक था—'कल्पना की रानी'। कल्पना की रानी का रूप-यौवन स्वर्गीय है। मैं उस कल्पना को साकार रूप में देखना चाहता था। उस साकार रूप-दर्शन के लिए मैं सर्वत्र स्थानों में घूम आया, पर सिवाय निराशा

के कुछ भी नहीं मिला। अचानक मैंने तुम्हें एक उत्सव में देखा, जिस उत्सव में तुमको एक सामंत-पुत्र ने स्वर्णमुद्रा पहनायी थी। मैं चला आया—सर्वांग सुंदरी के सौंदर्य को निरखने। अपनी कल्पना का मूर्त रूप देखने।

'फिर आज्ञा दीजिए।'—वासवदत्ता ने ऐसा दृष्टि-संकेत किया कि राहुल रोमांचित हो उठा।

'मेरे समक्ष तुम अपनी सर्वश्रेष्ठ मुद्रा में बैठ जाओ।'

'क्यों?'

'मैं तुम्हारा नश्वर किंतु अद्वितीय रूप-दर्शन करना चाहता हूँ।'

'रूप-दर्शन!'—विस्मय से नयन विस्फारित किया वासवदत्ता ने और एक उल्लास की अँगड़ाई ले बैठी।

'प्रत्यक्ष-दर्शन से कल्पना में सत्य आता है। मेरे गीतों में निखार आ जाएगा, श्रोता सुनकर मंत्र-मुग्ध हो जाएँगे। रूपसी! यह संबल मेरी कविता में प्राणों का संचार कर देगा।'—यह थी राहुल की भावुकता।

'मैं तो क्या, समस्त नगरवासी आपकी प्रतिभा का लोहा मानते हैं। सत्यम्-शिवम्-सुंदरम् की भावना लिए आपकी प्रत्येक कृति जीवन को नूतन प्रेरणा देती है। मैं प्रायः सुना करती हूँ—आपकी प्रत्येक कृति में चिंतन रहता है, मनन रहता है और उनके संग-संग संगीत की हृदयबेधक लय।'

वासवदत्ता यह कहकर राहुल के समीप आकर बैठ गयी। राहुल अपनी भूरि-भूरि प्रशंसा सुनकर मानव-दुर्बलता के अधिकार में आ गया। अपनी रचनाओं की स्वयं प्रशंसा करता हुआ बोला—'तुम्हें विदित नहीं होगा कि मेरी कविता 'जीवन-नश्वर' पर आचार्य उपगुप्त ने स्वयं कहा था—रचना अत्यंत उत्कृष्ट है। कवि में प्रतिभा के साथ-साथ सुंदर अभिव्यक्ति की भी शक्ति है। जीवन का दर्शन सही रूप में चित्रित करने की क्षमता है। कभी मैं उससे भेंट करूँगा।'

'यह उपगुप्त कौन है?'—वासवदत्ता ने झट से पूछा।

'भिक्षु शाणकवासी का परम स्नेह-पात्र शिष्य! गुणी, त्यागी और वक्तृत्व कला के सम्राट! तुम जानती नहीं हो कि जब वे ओजस्वी वाणी में भाषण देते हैं तो श्रोता अपने आपको विस्मृत करके उनके पीछे खिंचे चले जाते हैं।'—राहुल शय्या पर कुछ सुख से बैठता हुआ अनवरत कहे ही जा रहा था—'मुझे भी उनका भाषण सुनने का सौभाग्य प्राप्त हुआ ई। उनकी प्रभावोत्पादक वाणी के समक्ष मेरे गीत शून्य के बराबर हैं।'

'और उनका रूप?'—वासवदत्ता की जिज्ञासा बढ़ी।

'रूप!..सूर्य-सा तेजस्वी।'

वह उठती हुई मद्धिम स्वर में बोली—'ब्रह्मा का निर्माण-वैचित्र्य देखकर आश्चर्य करना पड़ता है, अस्तु। कविवर! अब मैं आपकी इच्छा पूर्ति करती हूँ। अपनी

सर्वश्रेष्ठ-सर्वोत्तम मुद्रा में खड़ी हो जाती हूँ, जी भरकर रूप-दर्शन कर लीजिए।'

वासवदत्ता अपने श्रृंगार कक्ष में गयी। अपने रेशमी झीने आँचल को उरोजों पर एक आवर्त देकर कटि प्रदेश पर लहराने के लिए छोड़ दिया। कंचुकी को और कसा। कुंतलों को तनिक अस्त-व्यस्त करके तनकर खड़ी हो गयी। फिर वह वहाँ से आकर राहुल के समक्ष खड़ी हो गयी।

मुद्रा कामोत्तेजक थी।

राहुल देखता रहा–एकटक।

वासवदत्ता मुस्कराती हुई बोली–'कविराज! रूप-दर्शन करते-करते मन का पाप न कर बैठिएगा।'

'मेरे विचार इतने निर्बल नहीं हैं।'–राहुल मुस्करा रहा था।

'वह्नि समक्ष कनक अवश्यमेव गलता है, यह चिरंतन सत्य है।'

'मेरे सिद्धांत किसी को भी चिरंतन नहीं मानते।'

'सबसे पृथक हैं आपके सिद्धांत?'

'विद्धान स्वयं अपने सिद्धांतों के निर्माता होते हैं।'–राहुल उसे देखता रहा–'अब मैं प्रस्थान करना चाहता हूँ। मैंने अपने मन की आशा पूर्ण कर ली।'–राहुल उठने लगा।

'इतनी शीघ्र पूर्ण कर ली, आश्चर्य है?'

'वार्त्तालाप में समय का ज्ञान नहीं रहता। मुझे आए हुए बहुत काल हो गया है।'

'तनिक और ठहरिए। अभी तक आपने मेरे रूप का दर्शन किया है और अब मैं आपके रूप का दर्शन करूँगी।'

'मेरे रूप का?'

'हाँ कविराज!'–वासवदत्ता मधु-चषक लेने के लिए अग्रसर हुई। परिचारिका ने आकर निवेदन करने के लिए अपने अधरों को खोलना चाहा कि वासवदत्ता ने तुरंत उसे रोक दिया–'मैं आ रही हूँ।'

राहुल इस नाट्य को नहीं समझ सका। कुछ अनुमान लगाने के प्रयास में था।

बाहर खड़ा था मनु।

वासवदत्ता उसे अन्य कक्ष में बैठाकर राहुल के समीप आयी। राहुल उस समय विचार-मग्न बैठा था। वासवदत्ता की पदचाप सुनकर बोलना चाहा कि वासवदत्ता दर्प से बोल उठी–'कविराज! अब आप यहाँ से सहर्ष प्रस्थान कर सकते हैं। मुझे कोई आपत्ति नहीं।'

राहुल ने भेदभरी दृष्टि से वासवदत्ता को देखा और तोरण द्वार की ओर बढ़ गया–एक प्रश्न लिए।

6

आज मनु ने वासवदत्ता के चरणों में स्वर्ण-मुद्राओं का ढेर लगाते हुए एक नवीन प्रस्ताव रखा–'रूपसी! आज हम जल विहार करने चलेंगे।'

प्रस्ताव अत्यंत सुंदर था। अतः वासवदत्ता ने स्वीकारोक्ति दे दी–'श्रीमंत, आपकी आज्ञा शिरोधार्य है।'

मनु का अंतराल वासवदत्ता की स्वीकारोक्ति सुनकर मग्न हो गया। वासवदत्ता का कर स्पर्श करता हुआ बोला–'प्रिय! चलो, अबेर करना अच्छा नहीं है।...आज तुम्हें ही अपनी 'शिविका' पर चढ़ाकर सरिता-कूल तक ले जाना पड़ेगा।'

'क्यों, आपका रथ कहाँ है?'

'मेरा सारथी आज ज्वर से पीड़ित है और अन्य सारथी मुझे पसंद नहीं है।'

'कोई बात नहीं, मैं अभी परिचारिका को पुकार वाद्य वादकों को तैयार होने के लिए कहलाती हूँ।'

'क्यों,...वाद्ययंत्रवालों की क्या आवश्यकता है?'–किंचित सहमते हुए मनु ने कहा–'हम एकाकी चलेंगे।'

'एकाकी!'–वासवदत्ता ने भय से नयन विस्फारित कर दिए–आशंका से बोली, 'मैं एकाकी कैसे चल सकती हूँ?'

'भय किस बात का?–तुम्हारे पर किया गया अनधिकार अपराध समान है। तुम्हारी इच्छानुकूल ही मैं प्रत्येक कार्य करूँगा, विपरीत नहीं, ऐसा तुम्हें विश्वास रखना चाहिए।' मनु ने कहा–'आज नभ में प्रमोदमयी शीतल शुभ्र चाँदनी छिटक रही है, हमें शीघ्र चलना चाहिए।'

'लेकिन मैं एकाकी नहीं चल सकती।'–उसके स्वर में स्पष्ट अस्वीकृति थी।

'क्यों रूपसी? मस्तिष्क पर बल देकर विचार करो कि एकाकीपन में कितना आनंद रहेगा। निशीथ की नीरवता में लोल-लहरों पर मृदुल लास करती हुई अपनी तरणी जब हौले-हौले चलेगी तो हमारी आत्माएँ महान् सुख का अनुभव करेंगी।...हम होंगे और हमारे हृदयों की मधुर धड़कनों का मीठा संगीत होगा।...चलोगी न एकाकी?'

'नहीं तरणी मंझधार में पहुँच जाए और मैं मधुपान से मदोन्मत्त होकर जल में कूद मरूँ तो...?...नहीं-नहीं, मैं ऐसी भयानक विपत्ति नहीं उठा सकती, कदापि नहीं उठा सकती,...मनु मैं एकाकी नहीं चल सकती।' वासवदत्ता ने अपने मन के अभिप्राय को छिपाते हुए कहा।

वह सामंतों व सेट्ठि-पुत्रों के हृदय में निहित पतित विचार से परिचित थी। वह भलीभाँति भिज्ञ थी कि मनु उसे एकांत में ले जाकर अपनी वासना की तृप्ति करना चाहता है और उस तृप्ति के पश्चात् संतोष पाकर उससे सदैव के लिए संबंध-विच्छेद कर लेगा। यदि उससे संबंध-विच्छेद हो गया तो उसे उसकी संपत्ति

से हाथ धोना पड़ेगा। अतः मनु को जहाँ तक हो सके अतृप्त रखा जाय, एक असंतोष की ज्वाला में उसे जलने दिया जाय।

'बिना संगीत सुंदर नृत्य संभव नहीं और बिना नृत्य भ्रमण की कोई सार्थकता नहीं, अतः इन्हें अपने साथ लेना ही पड़ेगा।'—वासवदत्ता ने दृढ़ता के साथ परामर्श दिया।

'मुझे संगीत और नृत्य का कोई मोह नहीं है।'

'तो तुम्हें किसका मोह है?'

'केवल तुम्हारा, अपनी प्रेम-प्रतिमा का।'—कहकर मनु वासवदत्ता की ओर उत्सुकता से निहारने लगा, इस आशा से कि इस प्रकार की घोषणा से वासवदत्ता अनिवार्य रूप से प्रसन्न होगी, लेकिन उसकी मुखाकृति पर किसी प्रकार की प्रतिक्रिया नहीं हुई। वह पूर्ववत् स्वर में बोली—'तो जल-विहार की कोई अनिवार्यता नहीं, इस प्रकोष्ठ के सब द्वार बंद कर लिए जाएँ। मैं एकाकी, तुम एकाकी...बोलो कितना आनंद रहेगा?'—मीठी चुटकी ली रूपसी ने।

'तुम समझती क्यों नहीं?'—मनु झुँझला उठा।

'मैं सब समझती हूँ, श्रीमंत! मुझे समझाने की आवश्यकता नहीं, सच पूछो तो मैं स्वयं संपूर्ण समझ हूँ।' वासवदत्ता का स्वर गंभीर था।

संसृति पर निविड़ तिमिर छा चुका था। तारों के धुंधले प्रकाश में राजप्रासाद की पताका फहराती दृष्टिगोचर हो रही थी। सारा नगर सुख की निद्रा में मग्न था। शून्यता, घोर शून्यता व्याप्त थी यत्र-तत्र। केवल जग रही थी—वैभव की महारानी अद्वितीय सुंदरी वासवदत्ता और पिपासित मनु।

वासवदत्ता किसी अज्ञात भावुकता में बही जा रही थी। यही कारण था कि उसके शशि-मुख पर व्यथा की रेखाएँ छा गयीं। नयनों के मोती कपोलों पर छलक पड़ने को हो गए, ओष्ठ अत्यंत मद्धिम स्वर में फड़क उठे—'नगर समझता है कि वासवदत्ता के पास अतुल संपत्ति है जिससे वह अपना जीवन बड़े आनंद से व्यतीत करती होगी, किंतु यदि कोई अन्वेषण करके सत्य का पता लगाए तो उसे यही प्रतीति होगी, कि उसका जीवन स्वर्ग नहीं, नरक है, स्वतंत्र नहीं, परतंत्र है। शीतल धारा नहीं, जलती हुई ज्वाला है।...उसके तन को अभिजात-वर्ग-सामंत-वर्ग उसी प्रकार डँसता है जैसे अहि प्राणी के तन को।...ये लोग मानव नहीं, वे लोलुप श्वान हैं, जो उसके रूप पर आसक्त होकर पूँछ हिलाते हैं, और जैसे ही उन्हें अन्य रूप रोटी मिल जाती है तो ये फिर कभी अपनी शक्ल भी नहीं दिखाते।'

वासवदत्ता को बड़बड़ाते देखकर मनु उत्तेजित स्वर में बोला—'मेरे प्रश्न का उत्तर?'

'श्रीमंत! आज मैं लाचार हूँ। मेरी मनःस्थिति ठीक नहीं, अतः मैं क्षमा-याचना करती हूँ।'

'तो मैं कल आऊँ?'—उठते हुए मनु ने पूछा।

'कल नहीं परसों! थोड़े काल के लिए मैं अपने अशांत मन को शांति देना चाहती हूँ। मुझे इस अशिष्टता के लिए क्षमा करेंगे।'—सन्निकट थी वासवदत्ता। मनु ने उसके उर में अपने प्रति चिराकर्षण अक्षुण्ण करने के तात्पर्य से एक मूल्यवान आभूषण पहना दिया—'सुंदरी! सर्वप्रथम तुम अपने मन को मुदित करो। तुम्हारे आनन की वेदना मैं सह नहीं सकता। मैं तुम्हारे अधरों पर मादक मुस्कान देखना चाहता हूँ।'—कहता-कहता मनु प्रकोष्ठ के बाहर हो गया।

वासवदत्ता रो पड़ी—फूट-फूटकर।

7

गृहलक्ष्मी के शयन-कक्ष में अभी भी दीपक जल रहा था। मनु ने गृह-प्रवेश करते ही सर्वप्रथम उसी ओर दृष्टिपात किया। शयन-कक्ष में प्रकाश देखकर उस ओर चल पड़ा।

'खट्-खट्-खट्।'—मनु ने द्वार खटखटाया।

'कौन है?'

'मैं।'

एक पल में द्वार खुल गया। मनु ने देखा कि गृहलक्ष्मी सत्वरता से उसकी पद-रज अपने मस्तक पर लगाकर इस तरह खड़ी हो गयी जैसे कुछ काल पूर्व भयभीत हुई हो; क्योंकि उसके गोरे मुख पर स्वेदकण उभरे हुए थे।

मनु स्वेदकणों की ओर संकेत करके बोला—'महिषि! आज यह आकुलता कैसी?'

'नाथ! आज मुझे एकांत में भय लग रहा था।'

'भय क्यों लग रहा था?'

'यह मैं भी नहीं जानती, पर भय अवश्य लग रहा था।'—वह कुछ पल मौन रहकर बोली—'नाथ! आप मुझे एकाकी छोड़कर मत जाया करो।'

'नहीं जाऊँगा, अब मैं तुम्हें छोड़कर कहीं भी नहीं जाऊँगा।'

'हाँ नाथ, आज मुझे सिंह का यह चित्र भी भयभीत कर रहा था।'—उसका संकेत एक भित्ति चित्र की ओर था।

'जब भय मस्तिष्क पर छा जाता है तो ऐसी ही अनुभूति होती है। लेकिन अब आकुल होने की आवश्यकता नहीं है, आओ, हम दोनों विश्राम करें।'—गृहलक्ष्मी का कोमल कर मनु ने अपने हाथों में ले लिया और दोनों एक ही शय्या पर बैठ गए।

मनु ने कटाक्ष करके गृहलक्ष्मी से कहा—'आज तुम्हारा सौंदर्य शृंगार के कारण अद्भुत छटा पा रहा है।'

'सौंदर्य नहीं, आज आपके ये लोचन मेरे रूप को प्रेम की दृष्टि से देख रहे हैं। प्रेम सौंदर्य को सत्य की भाँति प्यार करता है।'—गृहलक्ष्मी मनु के तनिक निकट आयी।

अतृप्तता के वशीभूत होने के कारण वह तत्परता से बोला, 'मैंने तुम्हारे हृदय-कमल पर अनैतिक प्रहार किया है, उसके लिए तुम मुझे क्षमा करोगी।'

'आर्य ललनाएँ पति को क्षमा नहीं करती हैं। यदि वे अपने पथ-विस्मृत पति को पथ निर्देशन करने में समर्थ हो सकती हैं, तो अपने आपको धन्य मानती हैं।'

गृहलक्ष्मी के शब्दों में शालीनता थी। इधर मनु का मन जल रहा था। वासवदत्ता द्वारा दो बार ठुकराए जाने के पश्चात् उसका प्रत्येक आवेग शांत होना चाहता था। अतृप्ति की असंतुष्टि उसे वाचाल कर रही थी। उसने नाटकीयता से, केवल अपनी तृप्ति के लिए पत्नी से अत्यंत प्रेम का प्रदर्शन किया। उसने गृहलक्ष्मी को अपने अंक में भर लिया। गृहलक्ष्मी निर्विरोध रही, जो मनु को अच्छा नहीं लगा। वह चाहता था कि वह भी वासवदत्ता की भाँति अभिनय करे, प्रेम नाट्य करे, रोक-थाम करे, कुछ रोष का तो कुछ जोश का प्रदर्शन करे; पर ऐसा करने में गृहलक्ष्मी सर्वथा असमर्थ रही।

उसने नेत्रोन्मीलन कर लिए। मनु का मादक स्पर्श पाकर गृहलक्ष्मी उत्तेजित हो उठी। मनु वासना के मद में इतना चूर हो गया था कि उसे वस्तुस्थिति का ज्ञान तक नहीं रहा। आत्मसमर्पण का महान् दान लेते हुए उसने गृहलक्ष्मी को मधुरता के साथ कहा—'वासवदत्ता! जीवन की यह साध आज तुमने पूर्ण कर दी, तुम कितनी अच्छी हो वासवदत्ता!'

मनु के बाहुपाश से उन्मुक्त होती हुई गृहल्क्ष्मी तड़पकर बोली—'मैं गणिका नहीं, आपकी पत्नी हूँ।'

मनु का स्वप्न भंग हो गया...।

8

नगरपति की ओर से प्रदत्त राहुल का अपना भव्य कलात्मक भवन था जिसके चारों ओर एक रमणीय उपवन था। उपवन के परकोटे की प्राचीरों पर मंजुल लतिकाएँ छिटक रही थीं। भाँति-भाँति के पुष्प उपवन में विकसित थे, जिससे समीर सौरभमय हो रहा था।

राहुल इस समय हंस रूपिणी पीठिका पर सुख से बैठा नई रचना लिखने में

तन्मय था। उसके चतुर्दिक प्रकृति की जो अनुपम शोभा थी; वह उसे प्रेरणा दे रही थी।

वह लिख रहा था–

'वास्तविक विजयी कौन है?'

'जो शक्ति से विजयी होता है।'

'वास्तविक विजयी वह है जो अपनी आत्मा पर विजय प्राप्त कर लेता है। आत्मा पर विजय प्राप्त करने वाला ही महान् होता है। दूसरों पर विजय करने वाला मूलतः अपने को पराजित करता है। वीर-से-वीर मनुष्य भी अपनी इच्छाओं के समक्ष पराजित हो जाता है और प्रत्येक विजय के बाद वह नूतन बंधनों में बँध जाता है। अतः यह निर्विवाद सत्य है कि वास्तविक विजयी वही है जिसने अपने को जीत लिया है।'

वह इतना लिख ही पाया था कि उसके तोरण-द्वार से रथ रुकने की ध्वनि आयी। राहुल ने उठकर देखा–बाहर वासवदत्ता का रथ खड़ा है और वासवदत्ता उसकी प्रतीक्षा में द्वार की ओर देख रही है।

राहुल तत्परता से रथ की ओर लपका। वासवदत्ता को संबोधित करता हुआ बोला–'सुमुखि! क्या आज पथ विस्मृत हो गयी हो?'

'नहीं कविवर! इधर से जा रही थी, सोचा कविराज के दर्शन करती चलूँ।'–मादक पराग से वासवदत्ता के अधर भीगे थे–'आज्ञा है दर्शन की?'

'क्यों नहीं?'

'भय है कि कहीं उस दिन की भाँति आप भाषण देना आरंभ न कर दें। उस दिन तो आपने ऐसा क्षुद्र रूप बना रखा था कि...।'

'कवि हूँ न कवि आधे बावले तो होते ही हैं, आओ।'–राहुल उसकी ओर बढ़ा।

वासवदत्ता ने अपना हाथ राहुल ओर बढ़ाया–'थोड़ा संबल दो।'

राहुल ने वासवदत्ता का हाथ पकड़कर रथ से उतार लिया। वासवदत्ता उसके स्पर्श से पुलकित हो गयी। कितना कोमल कर था राहुल का। सोचकर वासवदत्ता ने अपने हाथ से राहुल के हाथ को दबा दिया। राहुल को इस क्रिया का परिज्ञान था ही। अपने को उसने मुक्त किया–'चलो भीतर, तुम उपवन का अवलोकन करो तब तक मैं आतिथ्य सत्कार के लिए सेवक को आज्ञा देता हूँ।'

राहुल चला गया।

वासवदत्ता के हृदय में निमेष छा गया, हलचल मच गयी, उथल-पुथल होने लगी। रह-रह उसके विचारों में एक प्रश्न खड़ा होता था–'जब मैंने राहुल का हाथ दबाया तो उसने विरोध क्यों नहीं किया? तो उसे मेरा प्रणय स्वीकार है?...अस्वीकार कर भी कैसे सकता? मेरा सौंदर्य पुरुष का पराभव है। नगर का ऐसा कौन व्यक्ति

है जो मुझ पर अपना अर्पण करने को तत्पर न हो? मेरी एक चितवन महान् क्रांति की द्योतक है।'—सोचते-सोचते वासवदत्ता के वासनामय नयनों में अहंकार टपकने लगा। वह जहाँ खड़ी थी, वहीं खड़ी रही अटल।

'वासवदत्ता!'—राहुल ने पुकारा।

वासवदत्ता ने चौंककर इस तरह राहुल की ओर देखा जैसे वह किसी मोह निद्रा से जगी हो—'क्यों कविराज?'

'भोजन के पूर्व कोई आज्ञा?'

'पूर्ण करेंगे आप?'

'हाँ, वासवदत्ता!' राहुल के शब्दों में अनुकंपा थी—'गृह पर आए अतिथि के स्वागत के लिए राहुल का सर्वस्व तैयार है।' और वासवदत्ता से राहुल की आँखें टकरा गयीं। एक पल, दो पल, तीन पल।—वह चौंककर बोला, 'ओह! क्षमा करना वासवदत्ता, मन में आज न जाने इतना भीषण संघर्ष क्यों हो रहा है?'

राहुल की मनःस्थिति संतुलित नहीं रह पा रही थी। एकाकी नर और नारी के होने पर जो दुर्बलताएँ जाग्रत हो सकती हैं, वे ही उसे दुर्बल बना रही थीं। उसकी मनःस्थिति का ज्ञान वासवदत्ता को हो गया। उसने आगे बढ़कर राहुल का हाथ पकड़ लिया—'कविराज! तुमने किसी से प्रेम किया है सच-सच बताना?'—उसके स्वर में अगाध अपनत्व था।

'प्रेम? हाँ किया है।'

'किससे?'

'अपनी कविता से?'

'केवल कविता से तुष्टि नहीं होती। कविता मन की तुष्टि है।'—वासवदत्ता समीप बैठ गयी। राहुल की दृष्टि उसके मुख की ओर थी। वासवदत्ता की आँखों में सौंदर्य किलोलें मार रहा था। अद्‌भुत सुषमा थी—उसके आनन पर।

'तुष्टि मन है और जब मनुष्य मन पर आधिपत्य कर लेता है तब संतोष उसके अंग-प्रत्यंग में समा जाता है।'

'मिथ्या है कवि! तुम अपनी आत्मा का हनन कर रहे हो, क्योंकि अनुराग बिना विराग नहीं।'—उत्तर अकाट्य था।

राहुल वासवदत्ता को देखने लगा—'तुम दर्शन की गुत्थियों में अपने आपको मत उलझाया करो वासवदत्ता। तुम्हारा जीवन एक चंचल धारा है, उसे गंभीर गति की आवश्यकता नहीं।'

'मैं तो वह कहती हूँ जो सत्य है और जो सत्य है, वही नित्य है। अतः कवि! एक बार, एक पल के लिए तुम नारी-संसर्ग करो, उससे प्रेम करो, सच कहती हूँ कि तुम निहाल हो जाओगे।'

'वासवदत्ता!'—राहुल चीख पड़ा। नारी की यह वाक्-नग्नता उसे पसंद नहीं

आयी—'तुम मेरे जीवन का महाव्रत भंग करना चाहती हो। काम, क्रोध, मोह और माया के चक्र में पड़कर मैं अपनी शांति को नहीं त्याग सकता। मेरे जीवन की श्रेष्ठ उपासना है—शांति से सृजन।'

'और असृजनात्मक शांति का दूसरा नाम है—जीवित मृत्यु, अकर्मण्यता, आत्मा का शोषण।...जानते हो कवि? नारी और नर का संबंध जन्म-जन्मांतरों से है और भविष्य में भी रहेगा। जो तुम अभी नारी के प्रति विरक्ति का प्रदर्शन कर रहे हो, वही तो वास्तविक अनुरक्ति है। अपने आपको भ्रम में रखकर तुम अपने मन के विचारों का क्षणिक हनन कर सकते हो। दैहिक पाप भले ही न करो मनसा पाप तुम अवश्य करोगे, निस्संदेह करोगे।'

'मैं इन दोनों पापों से सदा वंचित रहूँगा।—' राहुल दृढ़ था।

'असंभव! वासना प्रकृति का वह ज्वालामुखी है जो जीवन में अवश्य ही अंगारे उगलता है।'

राहुल चित्रवत्-सा उसे देख रहा था। राहुल अटलता का पर्यायवाची बन गया—नितांत स्थिर। वासवदत्ता उसे अंगीकार करने के लिए तत्पर हुई कि राहुल ने अपने आपको मुक्त किया—'वासवदत्ता! मैंने जीवन के सुख-दुःख, उत्थान-पतन, जीवन-मरण और जरा-रोग देख लिए हैं, अब पुनः मुझे इस पतनोन्मुखी-पथ पर क्यों ढकेलती हो?'

'क्योंकि मैं तुम पर आसक्त हूँ, तुमसे प्रेम करती हूँ।'

'लेकिन मैं...।'

'तुम! तुम भी मुझसे प्यार करते हो, विश्वास न हो तो अपने अचेतन मन से पूछ लो, अंतरात्मा से प्रश्न कर लो, सही उत्तर मिल जाएगा।'—वासवदत्ता ने तुरंत अपना मुँह दूसरी ओर घुमा लिया।

राहुल एक शिष्य की भाँति जो अपने गुरु की आज्ञा का पालन करता है, ठीक उसी भाँति उसने अपने मन से पूछा। मन ने कहा—तुम इससे प्यार करते हो, स्वर्ग की अप्सरा-सी अलौकिक सौंदर्यमयी युवती से कौन प्यार नहीं करता? तुम प्यार करते हो, तुम्हारी आत्मा का इससे अनुराग है तुम्हारी आँखें इसके दर्शन से तृप्त होती हैं। तुमने अपने चारों ओर आदर्श का एक मायावी जाल बुन रखा है, सिर्फ जाल, समझे!

'नहीं वासवदत्ता! मैं तुम से प्यार नहीं करता, तुम झूठ बोल रही हो। मैं प्यार करता हूँ तो अपनी कविता से, अपने हृदय के संकल्पों-विकल्पों से।'—राहुल ने हृदय-उन्वेगों का मार्मिक शोषण किया। वह काँप रहा था। भयभीत था।

यह सुनकर वासवदत्ता को रोष आ गया। नयनों में अंगारे से दहकने लगे। भर्त्सना के संग बोली—'तुम भयानक पाप कर रहे हो कवि! अपनी आत्मा से छल करना सबसे बड़ा पाप है। हृदय की भावना का शोषण करके तुम शांति नहीं पा

सकते।'

'शायद अब मैं शांति से नहीं रह सकूँगा। वासवदत्ता! तुमने मेरे विचारों में एक घोर कोलाहल मचा दिया है। अब मैं शांति से नहीं रह सकूँगा; क्योंकि...?'

'तुम अपने आपको सँभालने में असमर्थ हो। राहुल एक हृदय का दूसरे हृदय से लगाव होता है। इसे ही तो प्यार कहते हैं। मेरी पद-रज पाकर मेरे चाहने वाले धन्य हो जाते हैं और एक तुम हो—निष्ठुर, निर्दयी, निर्मम!'

'मैं चाहकर भी ऐसा नहीं करूँगा क्योंकि मेरी भावनाएँ वचनबद्ध हैं। आज से पाँच साल पूर्व मैंने एक रूपवती युवती से प्रेम किया था। विधि विडंबना कहो या भाग्य का चक्र वह अकाल ही महाकाल की ओर महा-प्रस्थान कर गयी। उसने मुझसे वचन लिया था—तुम अब किसी से प्रेम नहीं करोगे, प्रेम करोगे तो केवल अपनी कविता से।'

मैंने अश्रुपूर्ण नेत्रों से अपनी मरणोन्मुखी प्रेमिका की ओर देखा—'ऐसा क्यों देवि?'

'उसने कहा था। तुम मुझे अपनी स्मृति से ओझल कर दोगे, मेरी स्मृति तभी ही अमर रह सकती है जब तुम एक अतृप्तता में जलते रहो, विकलते रहो।'

'तो तुम तृप्ति नहीं चाहते?'—वासवदत्ता ने पूछा।

'मेरी तृप्ति ही मेरी कविता का पराभव है। जो विकलता, जो व्यथा और जो तड़पन मेरी रचनाओं में देख रही हो, वह मेरी आंतरिक अतृप्तता है और उस अतृप्तता को मैं चिर रखना चाहता हूँ।'

'तुम अपनी प्रेयसी का प्रतिबिंब मुझमें नहीं देख सकते?'—नवीन सुझाव दिया वासवदत्ता ने।

'नहीं।'

राहुल के यौवन पर आसक्त वासवदत्ता अपनी इस पराजय से भुजंगिनी की भाँति फुत्कार उठी—'इतना अपमान मत करो कवि! परिताप में अपने आपको मत जलाओ। मेरा रूप सुधा है। पी लोगे तो एक सुखद अमरता की प्राप्ति कर लोगे। ...और यदि नारी के प्यार को ठुकरा दिया तो वह प्रतिशोध लेने के लिए पागल हो जाएगी।'

—वासवदत्ता ने एक चुनौती दी।

राहुल ने धैर्य से कहा—'प्यार और प्रतिशोध दो भिन्न बातें हैं। जहाँ प्यार है वहाँ प्रतिशोध नहीं, जहाँ प्रतिशोध है वहाँ प्यार नहीं। इन दोनों का एक साथ होना कुछ अनहोनी-सा लगता है। तुम बहक रही हो, सँभल के चलने का स्वभाव डालो, नहीं तो जीवन के बीहड़ पथ पर शीघ्र ही भ्रांत हो जाओगी।'

—राहुल की आँखें चमक उठीं। उनमें एक अदम्य साहस झलक उठा। वह भीतर की ओर चलने लगा।

वासवदत्ता का दर्प चीत्कार उठा। उसने राहुल को रोका—'तुमने मुझे बहुत सताया है। बड़े निष्ठुर हो, पाषाण हो, अब मुझे सुरा चाहिए। मैं अपने मन की थकान मिटाना चाहती हूँ।'

राहुल ने तुरंत उसे सुरा का प्याला थमा दिया।

वासवदत्ता ने उसे अपने अधरों से लगाकर पूछा—

'तुम मुझे अंगीकार करोगे या नहीं?'

'नहीं।'—राहुल ने कहा—'मैं वासना को नहीं अपना सकता। आज मुझे प्रतीत हुआ कि तुम्हारा सौंदर्य अलौकिक नहीं, लौकिक विपुल वासना भरा है।'

'रथ तैयार करा दो, अब मैं प्रस्थान करना चाहती हूँ।'—उसने सुरा को हलक से एक ही साँस में उतार लिया।

राहुल द्वार की ओर चला।

वासवदत्ता उसे घृणा से देख रही थी। प्रतिशोध लेने के भाव उसकी आँखों में नाच रहे थे।

9

अपमान की ज्वाला में दग्ध आज वासवदत्ता ने शृंगार तक नहीं किया।

वह बेसुध-सी पड़ी रही। न निशा के आने का ज्ञान और न दिवस के जाने का ध्यान! बस, विचारों में उलझी वह सुखद-शय्या पर पड़ी थी।

केवल क्रोध, केवल तिलमिलाना, केवल अपने आपको अस्पष्ट भाषा में कहना; क्या कहना इससे स्वयं अज्ञात।

उसकी जलती हुई आँखें और फड़कते हुए अधर बता रहे थे कि वासवदत्ता अपनी अंतर्ज्वाला से राहुल को भस्म करना चाहती है जिसने उसके सौंदर्य का तिरस्कार किया, उसके यौवन की उपेक्षा की।

कभी-कभी रोष के संघर्ष के केंद्र उन मतवाले नयनों में दो मोती अनायास छलक पड़ते थे। राहुल की इस उपेक्षा ने उसके विचारों में क्रांति-सी मचा दी थी। उसे यह सोचने के लिए विवश कर दिया था—'सृष्टि के रंगमंच पर सौंदर्य तृप्ति नहीं, विजय नहीं। यदि सौंदर्य विजयी होता तो उस दंभी राहुल के हृदय में वह उस विकल विचि की सर्जना कर देता जो अपनी तृप्ति के लिए जल-विहीन मीन की भाँति तड़प उठती, आकुल हो जाती, किंतु राहुल ने अपने मन की उठती हुई विपुल वासना का हनन करके अपनी दुर्बलता पर विजय पाई।...ऐसा क्यों? यदि सौंदर्य पुरुष का पराभव है तो फिर यह उद्भव कैसा?'—वासवदत्ता अपने आपसे ऐसा प्रश्न कर बैठी—'ऐसा क्यों वासवदत्ता? क्या राहुल अपने मन के सकल विकारों का दमन

करके महान् बन गया है?—महान् बनना इतना सहज नहीं। वह आत्म-हनन करता है, सिर्फ आत्म-हनन! अपनी तृष्णाओं का दमन करता है। हाँ! इतना अवश्य है कि इस वसुमति पर वही एक अनुपम व्यक्ति है जिसकी वाणी पर वाग्देवी विराजी हुई है। जब वह अपने सुरीले कंठ से कविता पाठ करता है तो श्रोता विमुग्ध-से, विमोहित-से निस्पंद बैठे रहते हैं और मैं...?

'मैं तो अपनी समस्त अनुभूतियों से शून्य होकर चकोरी सदृश अनिमेष दृष्टि किए बैठी रहती हूँ जैसे राहुल अपनी वाणी द्वारा सुधा वृष्टि कर रहा हो और मैं उसका पान कर रही हूँ।'

वासवदत्ता के विचार उसके मस्तिष्क में ठीक इस भाँति उठ रहे थे जैसे उदधि में लहरें। यदि तत्क्षण दीप-वर्तिका लय होने को न होती तो आंतरिक संघर्ष में गतिहीन उसका तन तनिक भी कंपन नहीं करता।

वह वहीं तब तक बैठी रहती, जब तक कोई आकर उसकी एकाग्रता को भंग नहीं करता। वह उठी। दीपक के समीप गई। वर्तिका को ठीक किया और पुनः पूर्ववत् मुद्रा में गंभीर होकर बैठ गई—'राहुल गुप्त रूप से अवश्य किसी से प्यार करता होगा? उसके पास रूप है, गुण है, यौवन है, विद्या है, नगरपति द्वारा प्राप्त प्रतिष्ठा है, फिर क्या उसके प्रेयसि नहीं होगी? प्रेयसि! अवश्य कोई मुझसे भी सुंदर प्रेयसि होगी उसकी।'—वासवदत्ता सौतिया डाह में जल उठी। जलकर निमिष भर के लिए जड़वत् हो गई। एकाएक वह जोर का अट्टहास कर उठी—'इस अपमान का प्रतिशोध केवल प्रतिशोध लेना है। मैं प्रतिशोध लूँगी। प्रतिशोध! केवल प्रतिशोध!!'

शब्द उसके मस्तिष्क में प्रतिध्वनि से ध्वनित हो उठे।

समस्या को समाधान मिल गया।

यज्ञ को आहुति मिल गई।

स्थिर बैठी हुई वासवदत्ता चंचला-सी द्रुतगति से द्वार पर गई। पुकारा—'कोई है?'

'आज्ञा।' परिचारिका ने आकर कहा।

'प्रहरी से जाकर कहो कि वह श्रीमंत मनु को इसी पल यहाँ बुला लाए। उन्हें निवेदन करे कि आपकी प्रिया आपके बिना आकुल है।'

परिचारिका भेदभरी दृष्टि से अपनी स्वामिनी को देखकर बाहर चली गई।

और वासवदत्ता के नयन उस वीथि की ओर जम गए जिस ओर से मनु का रथ आने वाला था।

मनु शयन कक्ष में गृहलक्ष्मी से गृहस्थ-धर्म पर वार्तालाप कर रहा था कि वासवदत्ता के भृत्य ने आकर कहा—'श्रीमंत! देवी वासवदत्ता ने आपको इसी पल स्मरण किया है?'

'मुझे!'—आह्लाद उनके अधरों पर चमक उठा।

'हाँ, आपको ही।'

'अहोभाग्य!'—मनु मन-ही-मन कह उठा—'आज स्वेच्छा से वासवदत्ता ने मुझे स्मरण किया है? क्या आज सूरज पूर्व की अपेक्षा पश्चिम में उदय हुआ है?'

अपनी सकल भावनाओं का शोषण करके वह प्रकट रूप से बोला—'प्रहरी! तुम जाओ, हम अभी आ रहे हैं?'

प्रहरी अभिवादन करके चला।

इधर प्रहरी गृह से बाहर निकला। उधर गृहलक्ष्मी ने मनु को अपनी प्रतिज्ञा का स्मरण दिलाते हुए कहा—'आपने कहा था न कि मैं तुम्हें एकाकी नहीं छोड़ूँगा, फिर यह जाने का कैसा निश्चय?'

'मन चंचल है, इसलिए उसके निश्चय क्षणिक होते हैं। तुम्हें तनिक भी चिंता नहीं करनी चाहिए।'—मनु ने ऐसे ढंग से कहा जैसे यह बात अत्यंत अमहत्त्वपूर्ण है।

'चिंता करना अथवा न करना मेरे बस का नहीं, किंतु आप अपने वचन सत्य का जो व्यतिक्रम करते जा रहे हैं, कालांतर में उसका परिणाम जीवन में पावस नहीं पतझर अवश्य ला सकता है।'

ईषत् मुस्कान के साथ मनु ने गृहलक्ष्मी का कर अपने हाथों में ले लिया जैसे यह पुरुष इस नारी को केवल मधुर बातों से फुसलाना चाहता है। वासवदत्ता के अपमान से आहत होकर जब यह आए तो इसे पति-परमेश्वर की महत्ता का भान कराके उसके मधुर आँचल में शांति पाए। दो जून रोटी के बदले इसके द्वारा अपने शिथिल गात को सहलवाए। बस इन्हीं स्वार्थों को जीवित रखने हेतु मनु उसकी ठोड़ी को पकड़कर बोला—'तुम पत्नी हो न, अतः तुम्हें पति की प्रत्येक गतिविधि में संदेह का आभास होता है। पर सत्य कुछ और ही है। तुम तो यह जानती ही हो कि वासवदत्ता नर्तकी है और एक नर्तकी के समीप एक सामंत एक ही उद्देश्य से जा सकता है, वह है नृत्यावलोकन। वह मेरा मनोरंजन करती है और मैं उसका पारितोषिक संपत्ति के रूप में देता हूँ।'

बात व्यवसायी थी। उसे अस्वीकार करना अश्रेयस्कर था, मनु क्या, जितने भी उस वर्ग के प्राणी थे—वे उन दिनों वैभव विलास की वारिधि में नारी की भावनाओं से क्रीड़ा करते ही थे।

गृहलक्ष्मी ने प्रतिरोध करना उचित नहीं समझा। प्रतिरोध का परिणाम उसके समक्ष कई बार नग्न होकर आया था। उस नग्नता में मनु की दुष्टता, आतंक, परित्याग का भय सभी समाविष्ट थे। अतः हृदय के सत्य को हृदय में छुपाती हुई, प्रदर्शन के साथ वह मनु का आलिंगन कर बैठी। उस आलिंगन की कृत्रिम आत्मीयता नयनों में सजलता के रूप में प्रकट हुई—'प्राणनाथ! नेत्र देखकर तृप्त नहीं होते, कर्ण सुनते नहीं अघाते, अतएव इन दोनों के पीछे मदांध बनना नीति-विरुद्ध है और वासनाओं के संकेत पर धावित होने वाले नर अपने आत्म-चैतन्य पर कालिमा का आवरण डाल लेते हैं।—'

'एक प्रश्न पूछूँ तुमसे?'—मनु ने गंभीरता से पूछा।

'...'। संकेत में 'हाँ' का उत्तर दिया गृहलक्ष्मी ने।

'अरण्य में घोर यातना भोगने वाला, पल्लव तथा फल-फूल पर जीवित निर्वाह करने वाला तपस्वी भी जब नारी का मोहिनी रूप देखता है, तो पथभ्रष्ट हो जाता है, तब घी-दूध और वैभव-संपन्न प्राणी अपने उद्दाम को कैसे थाम सकता है?'

'इसका तात्पर्य स्पष्ट है कि उसका पतन अवश्यमेव है?'

गृहलक्ष्मी के उत्तर ने मनु को स्तंभित कर दिया। कुछ अस्पष्ट विचार प्रकट करने लगा वह—'मनुष्य आत्म-अभिलाषा का हनन करके आनंदित नहीं रह सकता। तृष्णा का शोषण उर में अनल का संचार करता है और वह अनल हौले-हौले एक दिन उल्कापात का रूप धारण करके अनिष्ट की संभावना बन जाती है। इसलिए तृष्णा की तृप्ति ही इसका विकारहीन समाधान है।'

गृहलक्ष्मी विदुषी-सी गंभीर स्वर में बोली—'तृष्णा की समाप्ति तृष्णा का उपाय नहीं; एक तृष्णा की समाप्ति सहस्र तृष्णाओं को जन्म देती है। निस्पृह बनकर आप जब तृष्णा की व्याख्या करेंगे तो आप तृष्णा के अंत में सर्वनाश की शक्ति पाएँगे। उसमें तारण की शक्ति और मुक्ति की भक्ति कहाँ है?'—अंतिम शब्द कहते-कहते गृहलक्ष्मी के चेहरे पर रोष की क्षीण रेखाएँ उभर आईं।

मनु ने उन रेखाओं को दृष्टि से ओझल किया—'सृष्टि के प्रांगण में प्रत्येक प्राणी त्यागी, तपस्वी और वैरागी नहीं होता...।'—कहते-कहते मनु को अबेर होने का ध्यान आया कि उसके सन्निकट आकर अत्यंत कोमलता से बोला—'गृहलक्ष्मी।'

'जी।'

'वास्तव में तुम विलक्षणा हो, अत्यंत चातुरी से तुमने मुझे इतने क्षणों तक बातों से बाँधे रखा, मुझे वासवदत्ता के ध्यान से विमुख रखा, अतः मैं तुमसे बहुत प्रसन्न हूँ। जाओ, अब अपने कार्य में संलग्न हो जाओ। मैं प्रस्थान करता हूँ।'

मनु उठा कि गृहलक्ष्मी ने एक प्रार्थना की—'शीघ्र लौटने की चिंता रखिएगा?'

'जिस पाँव जा रहा हूँ, उसी पाँव लौट आऊँगा।'

10

बाहर सज्जित रथ खड़ा था। मनु उस पर आसीन होकर चला।

रथ चलते ही गृहलक्ष्मी वातायन से उस पथ की ओर निहारने लगी, जिस पथ से मनु जा रहा था।

वासवदत्ता अभी भी उस वीथि की ओर निहार रही थी, जिस वीथि से मनु का रथ आ रहा था।

मनु के रथ को देखते ही वासवदत्ता अपनी सुध-बुध भूलकर इस तरह शय्या पर पड़ गई जैसे आज उसे हार्दिक संवेदना हो रही हो। नयनकोर से अश्रु की धार उसके अधरों के छोर को छूती हुई उसके आँचल में विलीन हो रही थी। वस्त्र अस्त-व्यस्त थे। कुंतल स्नेहहीन और शृंगारहीन थे।

मनु ने ज्योंही कक्ष में प्रवेश किया, त्योंही वासवदत्ता उसे बिना देखे पेट के बल सो गई। मनु ने अपने दोनों हाथों से वासवदत्ता के कंधे पकड़ लिए–। पूछा–'रूपसी! क्या बात है?'

'....।'–वासवदत्ता पूर्ववत् मौन रही।

'तुम बोलती क्यों नहीं?'–झकझोर दिया मनु ने।

'....।'–निर्विरोध रही वासवदत्ता।

'तुम कुछ बोलोगी या...?'–मनु ने वासवदत्ता को झटके से उठाकर अपने सम्मुख किया। उसका चेहरा अश्रुस्राव से भीग गया था। मनु के चेहरे पर भी ग्लानि के संग रोष थिरक उठा–'कुछ बताओगी या मैं...?'

'मनु!'

'बोलो न?'

'भय लगता है कि कहीं तुम मेरी आशा पर तुषारापात न कर दो?'

'मनु तुम्हारी आशा को पूर्ण करना अपना सौभाग्य समझेगा।...धरती की वस्तु उसके लिए कोई असाध्य नहीं, बोलो तुम क्या चाहती हो?'

'मैं चाहती हूँ तुम्हें...केवल तुम्हें!'

'मनु?'–मनु क्या, मनु का रोम-रोम बोल उठा।

'तुम्हें, हाँ मनु, केवल तुम्हें!...मैं उस दिन की धृष्टता के लिए तुमसे क्षमा-याचना करती हूँ।'–इतना कह वासवदत्ता ने मनु के कोमल कर का एक क्षीण स्पर्श किया। मनु निहाल हो गया। मन में प्रश्न उठा–'यह स्वप्न है या सत्य?...यह स्वप्न है या सत्य?'

'हाँ, इन दिनों मुझे तुम्हारे सिवाय कोई भी तनिक भी रुचिकर नहीं लगता।...न जाने क्यों?'–वासवदत्ता की दृष्टि वक्र थी।

'कदाचित् तुम्हें हमसे प्रेम...?'

'हाँ मनु, मैं भी यही प्रतीत करती हूँ कि मुझे तुमसे प्रेम हो गया है,...सच्चा प्रेम।'

'वासवदत्ता! सौंदर्य का दंभ करने वाली तुम प्रेम का मूल्यांकन कैसे करती हो, यह मैंने आज जाना? इसके पूर्व मैं इतना जानता था कि धन को धर्म, छल को लक्ष्य समझने वाली नारी हाट की शोभा हो सकती है, मंदिर की पुजारिन नहीं। पर आज मेरे सम्मुख तुम विरोधाभास के रूप में खड़ी हो, मेरी प्रसन्नता की पराकाष्ठा क्या हो सकती है, कह नहीं सकता?'–मनु के चक्षुओं में आनंद स्फुलिंग की भाँति

ज्वलित हो उठा।

'स्त्री में हृदय एक होता है, और तब यह निर्विरोध मानना ही पड़ता है कि उस हृदय का आराध्यदेव भी एक ही होगा। एकाएक मैं व्यक्ति की नहीं, समाज की वस्तु हूँ, नगर वधू हूँ।'—वासवदत्ता ने गंभीर प्रश्न किया।

'तुम्हारे कथन की पीड़ा को मैं समझता हूँ। युगों से जब समाज में सभ्यता और संस्कृति का विकास हुआ है तब से एक स्त्री एक ही पुरुष को अपना हृदय-सम्राट बनाती आई है और तुम भी ऐसा करना चाहती हो विश्वास रखो, मैं तुम्हें आजीवन अपने हृदय की सम्राज्ञी बनाए रखूँगा।'—इतना कहकर मनु उसे आलिंगन में लेने हेतु उद्यत हुआ कि वासवदत्ता उससे ऐसे मुक्त हुई जैसे मनु कोई विषधर हो और वासवदत्ता को डसना चाहता हो।

'ठहरो मनु! पहले मुझे शृंगार करने दो। आज मैंने अपना जीवन-धन पा लिया है। सच कहूँ तो आज मेरी वह साधना सफल हुई, जिसके बीज मैंने आज नहीं; बहुत पहले, इतने पहले कि मुझे स्वयं को स्मरण नहीं, बोए थे।' वासवदत्ता उठी और मनु को देखती-देखती शृंगार-कक्ष की ओर बढ़ गई।

मनु अब एकाकी था। मौन, धीर, संयत। एकाएक उसके अधर कुटिल मुस्कान से थिरक उठे जैसे उसकी भावनाएँ विद्रोह करना चाहती हैं, उनमें घोर परिवर्तन आ गया है।

मनु ने मन-ही-मन हँसकर सोचा—'सृष्टि में आकर मनुष्य को नाना प्रकार के अभिनय करने पड़ते हैं। वासवदत्ता एक प्रेयसि का अभिनय करती है। वह समझती है कि मनु मेरे प्रेमाभिनय में फँस गया है पर मनु केवल पिपासा की तृप्ति करना चाहता है, अपनी वह अतृप्त पिपासा—जिसकी तृप्ति के लिए उसे वासवदत्ता के रूप का सागर चाहिए।'

वासवदत्ता!

'नगर की प्रतिष्ठित नर्तकी और प्रेम! वह भी सच्चा प्रेम!!'—मनु एक विडंबना की हँसी हँस पड़ा। अपने-आप प्रश्न कर उठा—वह मनु को बुद्धू बना रही है। मनु को बुद्धू?...पर मनु स्वयं सावधान है। वह सबको पहचानता है। अपने-आपको, वासवदत्ता को।

पद-चाप सुनते ही मनु की विचार-शृंखला भंग हुई। उसने द्वार की ओर ताका—स्तंभित रह गया। सम्मुख खड़ी थी वासवदत्ता—अपनी तर्जनी को अधरों से लगाए। शृंगार-सज्जित अप्रतिम रूप ने मनु को चित्र-लिखित बना दिया। मनु मूक रहा। तुरंत वह वातायन की ओर अक्षिविभ्रम करता हुआ बोला—'प्राण को त्राण लेने दोगी या नहीं?'

'क्यों?'—वासवदत्ता ने अक्षि विक्षेप किया।

मनु मर्माहत हो उठा। अपने लक्ष्य की ओर उन्मुख हुआ ही था कि वासवदत्ता

ने उसे रोका—'मनु!'

'क्या?'

'जो तुम करने जा रहे हो, क्या वह उचित करने जा रहे हो?'

'निस्संदेह! मैं जो कर रहा हूँ, केवल प्रेम-बंधन को चिरंतन रखने हेतु कर रहा हूँ।'

'पर वासना की लिप्सा प्रेम के पतन का मूल कारण है। प्रेम को अक्षुण्ण करने के लिए त्याग चाहिए, कुछ व्यवधान होना चाहिए, वह भी विपरीत प्राणियों में।'

'नहीं वासवदत्ता! सरिता का सागर में लुप्त हो जाना ही महान् प्रेम का प्रतीक होता है। दो हृदयों का महामिलन ही प्रेम की सफलता है।'

वासवदत्ता ने मनु को धैर्य देते हुए कहा—'मनु! मेरा तन-मन दोनों तुम्हारे हैं। विश्वास रखो, जब कभी मैं आत्म-समर्पण करूँगी, तो केवल तुम्हें।'

'सच?'

'हाँ...लेकिन...?'—वासवदत्ता ने मनु की ओर पीठ कर दी। मनु को ऐसा लगा कि सौंदर्य-माधुर्य का प्रासाद भूकंप के कारण एकाएक विनष्ट हो गया। अतः उसने तुरंत वासवदत्ता को अपनी ओर आमुख किया और स्थिर दृष्टि से निहारने लगा—'तुम कहती-कहती रुक क्यों गई?'

'मनु! मेरे मन में एक क्रूर काँटा प्रतिपल चुभता रहता है, जब तक वह काँटा नहीं तोड़ा जाएगा, तब तक मैं किसी को भी स्वेच्छा से, निर्भयता से प्यार नहीं कर सकूँगी।'

'वह काँटा कौन है?'

'उसको भग्न कर सकोगे?'

'मनु चाहे जिसे भग्न कर सकता है। नगर के सबसे बड़े सामंत का पुत्र मनु क्या नहीं कर सकता?'—उसकी वाणी में अहंकार था।

अहंकार विवेक का नाश कर देता है, मेधा को पथ-भ्रष्ट।

मनु के अहंकार पर तीव्र वार करती हुई वासवदत्ता बोली—'श्रीमंत! वह काँटा कहीं आपको पीड़ा न पहुँचा दे?'

'मेरी शक्ति की परीक्षा लेना चाहती हो? मैं उस काँटे को यदि भग्न करूँगा, तो उसके भग्नावशेष भी नहीं मिलेंगे।'—अत्यंत क्रोध आ गया मनु को—'बताओ, वह काँटा कौन है?'

'पर मैं उस काँटे को बल से नहीं, कौशल से तोड़ना चाहती हूँ।'

'क्यों?'

'ताकि वह काँटा मेरे हृदय की निर्ममता और प्रतिहिंसा की भयानकता से परिचित हो जाए।'

'तुम्हारे हृदय का पार पाना अति दुर्लभ है।...अच्छा बताओ, मुझे क्या करना

होगा?'

'तुम्हें?...मनु तुम्हें एक प्रीति-भोज का आयोजन करना होगा, उसमें नगरपति को आमंत्रित करना होगा। समस्त सामंतों, सेट्ठिपुत्रों तथा राज्य के प्रमुखों को बुलाना होगा। उसमें वह भी आएगा...काँटा? समझे?'

'नहीं...पर उसका नाम?'

'वहीं पर बताऊँगी। सर्वप्रथम तुम प्रीति-भोज आयोजन करो। ऐसा आयोजन करो जैसा आज तक किसी ने नहीं किया है?'—वासवदत्ता मनु के सन्निकट थी—'उस दिवस मैं अपने जीवन का सर्वश्रेष्ठ नृत्य करूँगी। उस दिन तुम देखोगे कि केवल मैं नहीं नाचूँगी अपितु यह गगन, धरा, वातावरण, पवन, चराचर सब नाचेंगे और उस नृत्य में तुम मेरे जीवन का नूतन-नाटिकाभिनय देखोगे।...मनु उस नाटक की सफलता मेरे जीवन की प्रथम विजय होगी।'

मनु किंकर्त्तव्यविमूढ़-सा वासवदत्ता के वासनादग्ध मुख पर उठते हुए अमानवीय संघर्ष को देखता रहा। अमानवीयता के मूर्त्त होते-होते उसका निरुपम रूप लुप्त हो गया। एक पैशाचिकता व्याप्त थी उसके सलोने मुख पर।

मनु ने सांत्वना दी—'चिंता न करो, तुम्हारे प्रतिद्वंद्वी का विनाश निश्चित है।'

मनु इतना कह अपने लक्ष्य की ओर बढ़ा। तृप्ति और संतुष्टि की ओर झुका; लेकिन वासवदत्ता द्वार से बाहर निकलती हुई बोली—'आज से तृतीय दिवस प्रीति-भोज का उत्सव होगा।...अब मैं एकांत चाहती हूँ, प्रणाम।'

तीर की भाँति वासवदत्ता मनु की आँखों से ओझल हो गई।

मनु क्रोधित और साथ ही पराजित होकर तोरण-द्वार की ओर बढ़ा, यह सोचता हुआ—'विचित्र है यह वासवदत्ता?'

11

दिनेश की स्वर्ण-रश्मियों से धरित्री आलोकित हो रही थी।

वासवदत्ता भोजन से निवृत्त होकर विश्राम करने के लिए शयन-कक्ष में बैठी-बैठी आलस्य की अँगड़ाइयाँ ले रही थी। उसकी उनींदी बोझिल पलकें मानो कह रही थीं—'सो जा,...वासवदत्ता, अब सो जा, तू सारी रात पलकों में व्यतीत कर चुकी है, अब तो सो जा।'

वासवदत्ता शय्या पर अर्धशायित हो गई। उसके अलस-नयनों की पलक-पँखुड़ियों ने अपने मुखारविंदों को बंद कर लिया।

वह तंद्रा की सुखद-स्मृति में अपने को विस्मृत करने लगी। एक पल, दो पल, तीन पल, व्यतीत हुआ ही होगा कि वासवदत्ता चौंक पड़ी—'नहीं, मुझे राहुल से रह-रहकर

प्रतिशोध लेना चाहिए। मृत्यु की अपेक्षा पीड़ा अधिक वेदनाशील होती है लेकिन मृत्यु से मेरी समस्या का समाधान नहीं मिलता तो...?'—उसने तुरंत अपनी भौंहों को चढ़ाकर अपने आप से कहा—'मैं राहुल को प्राप्त करने हेतु अनेकानेक अभिनय करूँगी, सीधे शब्दों में कहूँ तो मैं उसे किसी भी भाँति प्राप्त करूँगी।'

यह निर्णय करके वासवदत्ता ने परिचारिका को पुकारा। परिचारिका आकर एक छोर पर खड़ी हो गई। उसे अपनी स्वामिनी की आज्ञा की प्रतीक्षा थी।

वासवदत्ता ने उसे एक पत्र लिखकर देते हुए कहा—'इसे ले जाकर कविवर राहुल को दे दो।'

'जो आज्ञा।'

'पर इस बात का किसी को भी पता न चले?'

'आप विश्वास रखें।'—उत्तर देकर वह सत्वरता से चली गई।

पूर्ववत् जैसा एकांत! वही नीरवता और शून्यता। उस शून्यता को कंपित कर देने वाला वासवदत्ता का अट्टहास! हिंसा से सना अट्टहास!!

अट्टहास की अति ने वासवदत्ता की आँखों में आँसू ला दिए। वह ऐसी मौन हो गई जैसे वह गूँगी हो। पलकें ऐसी स्थिर हो गईं जैसे उनमें आदि से स्पंदन नहीं है। क्षण-पल में उसकी आँखों से अश्रु के कितने ही अनमोल मोती ढलक पड़े। ढलकते अश्रुओं को आँचल से पोंछते ही उसका अंतर फूट पड़ा—फफक-फफक।

उसके चेहरे के भावों से ऐसा प्रतीत होता था कि एक गहरी व्यथा वासवदत्ता के सुखमय जीवन में पीड़ामय बनकर उठती है और वासवदत्ता उससे आहत होकर केवल रोया करती है, इतना रोया करती है कि उसके तरुण कपोल रक्तिम हो उठते हैं। रोते-रोते जब अश्रु-उदधि सूख जाता तो वह उलझ जाती अपनी भविष्य की उस महायात्रा के महाअंत से, जहाँ उसके विचार एक प्रश्न पूछ बैठते हैं—'तुम्हारा अंत क्या होगा?'

'मेरा अंत?'—वासवदत्ता बड़बड़ाती है।

'हाँ, एक नगरवधू का अंत, एक गणिका का अंत?'

'मैं क्या जानूँ?'

'मैं बताऊँ?'—उसके मन ने कहा।

'बताओ।'

'वासवदत्ता! तुम्हारे जीवन और तुम्हारी वासना का अंत घोर एकांतिक पीड़ा से ग्रस्त व तिरस्कृत है। जब तुम्हारा जीवन जरा से जर्जर पंजों में जकड़ कर कुरूप हो जाएगा तब एक भी प्रेमी तुम्हारे सम्मुख नहीं जाएगा? तब तुम्हारे रूप पर आसक्त होने वाले सहस्र शलभ, उस लौ की ओर लपकेंगे जो हाट में समाज-राज्य के अत्याचार से अथवा अपने दिव्य सौंदर्य के अभिशाप से गणिका-नगरवधू बनाकर सामंतों-सेट्ठिपुत्रों का मन बहलाने के लिए बैठा दी जाएगी।'

'तो?'—वासवदत्ता ने लघु प्रश्न किया जिसमें जीवन के अंत की गुरु गंभीर समस्या का समाधान बोलता था।

'आज ही निर्णय कर लो कि मुझे किसी-न-किसी प्रकार धन एकत्रित करना है ताकि यौवन ढलने के पश्चात् मुझे कष्टमय-प्रताड़ित-दुत्कारित जीवन-यापन न करना पड़े।'

विचारों के द्वंद्व से उन्मुक्त होकर वासवदत्ता मन-ही-मन निर्णय करती हुई उठी और जाकर उसने अपनी संपत्ति का मूल्यांकन किया। अपार धनराशि उसकी विशाल अट्टालिकाओं में यत्र-तत्र बिखरी हुई थी। आभूषण, मुद्राएँ, मुक्ता-मणि, लाल, हीरों के भण्डार भरे थे तो भी उसकी लालसा ने आग्रह किया—'इतनी ही संपत्ति और एकत्रित कर लो तब तुम्हारा जीवन सुख का शांत सागर बन जाएगा। तुम्हारी महायात्रा के महाअंत का शुभ फल निकलेगा।...पर जानती हो धन धर्म से एकत्रित नहीं होता, उसके लिए अधर्म का संबल लेना पड़ेगा, पाप के पंकिल में जाना-आना पड़ेगा। क्या तुम जाओगी?'

'अवश्य जाऊँगी!'—उसकी चेतना ने दृढ़ता से कहा—'धर्म और पुण्य सेट्ठिपुत्रों व सामंतों के रक्षा-शस्त्र हैं। मनुष्य का निर्वाण मनुष्य की केवल कल्पना है। धरती से उत्पन्न वस्तु अंत में धरती के गर्भ में ही विलीन होती है, शेष रहती हैं तो केवल स्मृतियाँ...और स्मृतियाँ भी समय के थपेड़ों के प्रहारों से धुँधली होती हुई एक दिन समाप्त हो जाती हैं। तो फिर? मुझे धन एकत्रित करना चाहिए, गणिका तो धन शब्द की ही पर्यायवाची होती है। मैं धन एकत्रित करूँगी और धन के साथ मन की तृप्ति, वासना की तुष्टि।'

वासना और राहुल!

वासवदत्ता और कविराज!!

वासवदत्ता इसी प्रकार मन से सोचती और हाथों से अतुल संपत्ति के भंडारों को पूर्ववत् बंद करती हुई शयन-कक्ष की ओर बढ़ी। उसका अंतर्द्वंद्व अब संपत्ति से हटकर राहुल पर केंद्रीभूत हो गया था। वह निरंतर इसी प्रयास में थी कि किसी भाँति उसका आत्मसमर्पण स्वीकार कर ले।

हाँ। राहुल उसके प्रणय को स्वीकार कर ले तो वह अपने जीवनोद्देश्य को परिवर्तित कर सकती है। क्योंकि राहुल रूप का सागर है, प्रेम का आगार है, गुणों का साक्षात् देवता है।

इस प्रकार वासवदत्ता विभिन्न विचारों को अपने मानस-क्षेत्र में संघर्ष कराती शयनकक्ष में आई।

अंतर्द्वंद्व से भाराक्रांत, उत्तेजना से पीड़ित वासवदत्ता दुग्ध-सी श्वेत शय्या पर तंद्रा की भग्नता में कुछ देर तक पड़ी रही।

कुल पल के लिए वह निर्लेप हो गई—अपनी समस्त अपूर्णताओं से।

'खट्-खट्...'

द्वार के खटखटाने की ध्वनि ने उसकी तंद्रा को भंग कर दिया। हठात्-सी उठकर वासवदत्ता ने विस्मयाभिभूत दृष्टि से देखा—नवीन प्रभात के निर्मल अरुणलोक का नूतन देवता, सुंदर मुखमण्डल, पर शांत मधुर हास्य की छटा। काली-काली आँखों की पुतलियों में श्रद्धा की ज्योति, सत्यम् शिवम् सुन्दरम् की कल्याणकारी स्वर्गीय आभा।

आगंतुक ऐसा ही अनुपम युवक था।

अनुपम मुद्रा में खड़ा था—वासवदत्ता के समक्ष।

वासवदत्ता का मस्तक श्रद्धानत होकर झुकना चाहा पर किसी अंतर की भावना ने उसे रोककर प्रमाद के उन्माद में डुबा दिया।

राहुल ने भी देखा—वासवदत्ता को, उसकी उन आँखों को जो राहुल पर स्थिर थीं।

राहुल ने उसकी आँखों की भाषा को पढ़ा। उसके चक्षु मानों कह रहे थे—'मैं यौवन के मद रस में भीगी मत्तकामोन्मादिनी नारी हूँ; मेरे अंग-प्रत्यंग में उद्दाम वासना की दुर्वार क्षुधा ज्वलंत वह्नि के सदृश लग चुकी है। उसके शमन के लिए उतनी ही ज्वलंत विपरीत ज्वाला; चाहिए, राहुल चाहिए।'

राहुल अपनी दुर्बलता की ओर उन्मुख होते हुए विचारों पर आधिपत्य जमाता हुआ गंभीरता से बोला—'पत्र में क्षमा-याचना का संवाद पढ़कर हार्दिक प्रसन्नता हुई। पर तुम्हारे दर्प का मर्दन अभी तक नहीं हुआ है। मुझे यहाँ आने का आमंत्रण दे सकती हो, पर तुम नहीं आ सकती मेरे गृह पर।...आज आ गया हूँ फिर कभी ऐसे बुलाओगी तो अपमान कर दूँगा।'...सरोष बोला राहुल।

'तुम्हारा अपमान मेरे लिए वरदान सिद्ध होगा!'—राहुल को अपने समीप बैठने का संकेत किया। राहुल बैठा तो वासवदत्ता अद्भुत गंभीर आकृति बनाकर अंतर्भेदी दृष्टि से राहुल को देखने लगी—'राहुल! मैं तुम्हारे गृह आ सकती थी और आना भी चाहती थी, चाहती हूँ पर मैं परवश हूँ।'—समस्त सहानुभूति को अपने स्वर में उँड़ेलती हुई वासवदत्ता पुनः हौले से बोली—'राहुल?'

'क्या है?'

'तुम्हें मेरा यह जीवन कैसा लगता है?'

'कीट से हेय।'

'तुम चाहते हो कि मैं इस प्रताड़ित जीवन से मुक्ति पा लूँ?'

'अवश्य!'

'तो इस जीवन के नारकीय भय को सदैव के लिए समाप्त करने हेतु तुम्हें मेरे संग एक नाट्याभिनय करना पड़ेगा?'

राहुल करुण उपहास मिश्रित हँसी हँस पड़ा—'वासवदत्ता। नाट्य-जीवन की

अनुकृति है और इसी अनुकृति के आवर्तन में तुम अपने को उलझाती हुई समाप्त कर दोगी। वासवदत्ता तनिक गंभीरता से सोचो, इसमें सिवाय दुःख के तुम कुछ नहीं पाओगी...मैं आज ही भगवान बुद्ध के वचनामृतों का पान कर रहा था। अध्ययन करते-करते प्राणी को अपने और अपने कृत्यों पर भयंकर ग्लानि होने लगती है।'

'क्या थे वे वचनामृत?'–कुतूहलता से पूछा वासवदत्ता ने।

राहुल पश्चात्ताप से भरी दृष्टि को नभ की ओर करता हुआ उपदेशक की भाँति बोला–'मानव का तन विकारी है, इसलिए क्षय निश्चित है। जन्म-मरण और उत्पत्ति-विनाश के नियम से कोई नहीं बच सका। ये चिरंतन हैं।...वासवदत्ता! प्रलोभन और भोग नाशवान है। फिर भी तुम उनके पीछे झंझा-सी भागती हो–एक मरीचिका लिए।'

'इन्हीं सदुपदेशों से प्रभावित होकर तुम मेरे अनुपम सौंदर्य की उपेक्षा करते हो?'–वासवदत्ता के नयनों में गर्व दीप्त हो उठा–'पर तुम यह क्यों विस्मृत कर देते हो कि शिला-रूपी हृदय पर सागर-रूपी संपत्ति रखते-रखते हृदय उसका अभ्यस्त हो जाता है। इसलिए तो मैं तुम्हें कहती हूँ कि प्रवचन और विरक्ति की उक्तियाँ मुझे मत सुनाया करो राहुल? मैं रूप की उदधि में अपनी उन्मत्त भावनाओं का पैशाचिक नृत्य देखना चाहती हूँ। मेरे उर-उपवन में यदि किसी के लिए प्रेम-प्रसून विकसित है तो केवल तुम्हारे लिए, भाग्यशाली राहुल के लिए! तुम मेरा यदि समर्पण स्वीकार करो तो मैं उसके उपरांत तुम्हारा उपदेश भी ग्रहण कर सकती हूँ। बोलो स्वीकार है तुम्हें?'

राहुल के अधरों पर स्मित-रेखा थिरक उठी।

वह अपनी अंतर्वाणी में तन्मय होता गया–'वासवदत्ता! राहुल पर अपने सौंदर्य के मादक-बाण चलाने का प्रयास व्यर्थ है। क्योंकि मैं शीघ्र बौद्ध धर्म अंगीकार करने वाला हूँ। मैं भिक्षु बनकर अपने लौकिक प्रेम-काव्य में अलौकिक ईश्वरीय प्रेम की पुण्य ज्योति का दर्शन करना चाहता हूँ। जानती हो, तथागत के विचारों ने मेरे मानस में क्रांति मचा रखी है। मैं दुखों और दुखों के कारणों से मुक्त होकर निर्वाण की अखंड साधना करना चाहता हूँ?'

वासवदत्ता ने लपककर राहुल को पकड़ लिया। राहुल के समस्त तन में दामिनी-सी कौंध गई। अपने आपको उसकी पाश से मुक्त करने की चेष्टा करता हुआ बोला–'छोड़ दो मुझे वासवदत्ता।'

'नहीं।'

'क्यों?'

'मैं अपने को तुम पर विसर्जन करना चाहती हूँ?'

'पर मैं अपने आपको तुम पर उत्सर्ग नहीं कर सकता।' वह वासवदत्ता से दूर हट गया।

'तो तुम मेरे संग रहकर अपनी उच्चतम साधना का तप करो और मैं तुम्हारे संग रहकर अपने प्रेम-प्रदीप को प्रचंड झंझावातों में प्रज्वलित रखने का प्रयास करूँ?'—प्रेमपूर्ण प्रश्न किया उसने।

'मैं तुम्हारे संग रहकर अपनी साधना नहीं कर सकता?'—झुँझलाहट थी राहुल के स्वर में।

हँस पड़ी वासवदत्ता—'तभी तो कहती हूँ कवि कि तुम्हें जीवन से बड़ा मोह है। सर्वप्रथम वास्तविक रूप में आत्मा के बंधन, मोह और लिप्सा से मुक्त होओ, क्योंकि तथागत के उपदेशों को हम तभी ग्रहण कर सकते हैं जब हमारा अंतःकरण शुद्ध और संसार वार्ताओं से मुक्त हो? हमने अपनी तृष्णाओं का दमन कर लिया हो।'

राहुल गणिका की इस उक्ति से चिढ़ गया। पराजित किंतु अभिमानी पुरुष की भाँति चलता हुआ बोला—'मैं जा रहा हूँ, अब यहाँ कभी नहीं आऊँगा और तुम भी मेरे यहाँ कभी मत आना, कोई संदेश मत भिजवाना क्योंकि तुम्हारा संग मेरा पराभव है।'

'राहुल! स्वयं तथागत तो उपेक्षिताओं व गणिकाओं के निमंत्रण स्वीकार करते थे और तुम में इतना आत्मबल नहीं कि नारी के संग एकांतवास कर सको। अपनी इस महान् दुर्बलता को लेकर यदि तुम भिक्षु भी बन जाओगे तो भी विजयी नहीं हो सकते!...जानते नहीं, संघों में भी तो तरुणियाँ हैं, क्या तुम वहाँ अपनी पिपासा के ज्वालामुखी को दबाए रख सकोगे?'

वासवदत्ता की बातें राहुल के तन पर तपी सलाख के सदृश लग रही थीं। वह चीत्कार कर उठा—'तुम मौन हो जाओ वासवदत्ता।'

'मैं मौन हो जाती हूँ।'—झट से कहा वासवदत्ता ने।

'अब मैं जाता हूँ।'

'मैं तुम्हें नहीं जाने दूँगी?'

'क्यों नहीं जाने दोगी तुम?'

'प्रेम जो करती हूँ।'

'पर मैं तुमसे घृणा करता हूँ।'

'मैं घृणा को ही प्रेम का पर्यायवाची मानती हूँ।'

'माना करो, मुझे कोई आपत्ति नहीं।'—कहकर राहुल जाने को उद्यत हुआ।

वासवदत्ता ने झपटकर उसे अपने हृदय से चिपकाकर प्यार से कहा—'मैं तुम्हें अंतिम बार चेतावनी देती हूँ कि मेरी इतनी उपेक्षा न करो कि मेरी नारी को विवश होकर प्रतिहिंसिनी का भयानक रूप धारण करना पड़े और अब तुम्हारे पर न्यौछावर होने वाली यह रूपसी तुम्हारी मृत्यु का आह्वान करने लगे।...तुम्हारा सर्वनाश कर दे।'

'मेरा सर्वनाश?'—राहुल ने अट्टहास किया—'राजकवि हूँ! वासवदत्ता, राजकवि!!'

'नारी के हठ व अज्ञेय चरित्र के चक्करों में कितने ही राजकवि क्या, स्वयं सम्राट पीड़ित, तड़पते, सिसकते पथ पर एकाकी दृष्टिगोचर हुए हैं। तुम भी अपना भला-बुरा सोच लो।'

'सोच लिया।'—क्रोधित राहुल तीर की भाँति कक्ष से बाहर हो गया।

वासवदत्ता ने रणचंडी-सी प्रचंड-उद्दंड होकर मधु-चषक से जनसम दर्पण को तोड़कर खंड-खंड कर दिया।

12

प्रीतिभोज का कार्यक्रम समाप्त हो गया।

इस कार्य के पश्चात् गृहलक्ष्मी का संदेह सत्य में परिणत हो गया।

उसके मन-मंदिर में यह बात साँस की भाँति बस गई कि उसका पति मनु नगर की नर्तकी वासवदत्ता पर पूर्णरूप से आसक्त है। वह उसके पति को अपनी अँगुलियों पर नचा सकती है, संकेतों से उठा-बैठा सकती है।

इन दुखद विचारों से मुक्ति प्राप्त करने हेतु गृहलक्ष्मी अपने को निर्विकार समझकर कक्ष के वातायन से महाशून्य की ओर निहारने लगी।

दूर, बहुत दूर, समस्त दिग्दिगंत तिमिराच्छन्न था। केवल प्रकाशमान थे तो झिलमिलाते तारे। मणि-मुक्ताओं जैसे दीप्त तारे।

अप्रत्याशित मेघों ने भयावह गर्जना की। अकेली गृहलक्ष्मी के हृदय में भय उत्पन्न हो गया। एक अपरिचित आशंका से उसका अंतर विह्वल हो उठा। सलोने मृदुल व्यथा आलोड़ित आनन पर घटाएँ-सी छा गईं। वह एक दीर्घ निःश्वास छोड़ बैठी—'युग-युग से पुरुष नारी पर अमानुषिक अत्याचार करता आया है। मर्यादा पुरुषोत्तम राम से लेकर आज तक नारी पुरुषों की चेरी रही है। जब-जब अत्याचार से प्रताड़ित होते-होते वह विद्रोहिणी बनी तब-तब पुरुष ने भाँति-भाँति चेष्टा-कुचेष्टा से उसका शोषण किया।'—उसके विचार समष्टि से व्यक्ति पर आ गए—'मुझे ही देखो! नगर के सामंत-पुत्र मनु की पत्नी होकर इन श्रावण-भाद्र के माह में जब कंपन भरे मलय के सौरभ से मधुमास का कण-कण महक रहा है, तब मैं विरहन बनी उनकी प्रतीक्षा में सारी रात नयनों में जागते-जागते व्यतीत कर देती हूँ। मेरा हृदय एक तड़प लिए आकुल रहता है। कभी-कभी आवेश के कारण मन मरने का निश्चय कर लेता है कि मैं भी...पर...।'—गृहलक्ष्मी का विद्रोह की ओर अग्रसर होता हुआ मन भगवान के कोप से डर गया—आत्म-हत्या पाप होता है। उससे केवल इहलोक ही नहीं परलोक भी बिगड़ जाता है। इससे प्राणी को जन्म-जन्मांतर मोक्ष नहीं मिलता।

और गृहलक्ष्मी के चेहरे पर दुर्द्धर्ष संघर्ष के उतार-चढ़ाव होने लगे।

प्रकोष्ठ में घोर नीरवता थी और दुर्बोध्य भयावह निस्तब्धता थी—गृहलक्ष्मी के उर में। शनैः-शनैः वह अपने बारे में सोचने लगी।

—वासवदत्ता के रूप से मैं क्या कम हूँ? वह मोहित मुग्धा है तो मैं कल्याणी कामिनी हूँ।....फिर सामाजिक-धार्मिक बंधनों को त्यागकर मेरा उपासक पर-स्त्री की उपासना क्यों करता है?

'हाँ, गृहलक्ष्मी क्यों करता है?'—गृहलक्ष्मी के मन ने पूछा।

प्रीतिभोज के उत्सव में नगरपति की उपस्थिति के मध्य, समस्त जनसमुदाय के लक्षित करने पर भी मेरे पतिदेव लोलुप हिंस्र जंतु की भाँति तीक्ष्ण दृष्टि से वासवदत्ता की ओर क्यों घूर रहे थे?

अपनी आन, मान और अभिमान को विस्मृत करके जब नर्तकी अपने अंग-प्रत्यंग और उपांगों का अभिनय करती हुई झूमती तो आराध्यदेव अबोध बालक की भाँति क्यों उछल पड़ते थे।

जब वासवदत्ता अपनी लता सदृश मृदुल लचकीली कटि को छिन्ना, निवृता, रेचिता, कंपिता, उदूहिता स्थितियों में लचकाकर एक पूर्ण आवर्तन निकालती तो उनके मुखारविंद से वाह-वाह प्रस्फुटित क्यों हो जाता था?

जब वासवदत्ता अपनी पलकों को उन्मेष, निमेष प्रसृत, कुञ्चित, सम, विवर्तित आदि क्रियाओं में नचाकर कटाक्ष करती तो मेरे माँग के सिंदूर के संग स्वयं नगरपति स्वाति बूँद विहीन आहत पपैया की भाँति क्यों कलप पड़ते थे?

मैं देखती रही और देखकर कुछ न कर सकी। मेरे सुहाग की सौम्य संसृति में स्फुलिंग बनकर आने वाली नारी के ज्वलित कणों का आभास पाकर भी मैं प्रकोष्ठ में निरुपाय-सी बैठी रही।...जीवन की यह कैसी लाचारी है?—सोचकर गृहलक्ष्मी का हृदय रो उठा।

तुरंत वह बड़बड़ाई—'जब वासवदत्ता नृत्य के मध्य केवल नगरपति के समक्ष एक सुंदर मुद्रा में खड़ी हुई और नगरपति आनंदातिरेक होकर उसे एक सतलड़ा हार पारितोषक रूप में देने को उद्यत हुए तो उनके लोचनों में अनल का घोर मौन आर्तनाद हो उठा था।'

'पर तत्काल वे भी विवश थे—ठीक मेरी तरह।'

इसी प्रकार विचारों में उलझी हुई गृहलक्ष्मी स्वप्नाविष्ट नयनों से अभी तक शून्य का अवलोकन कर रही थी।

धीरे-धीरे उसे निद्रा सताने लगी। पलकें श्रांत होकर परस्पर मिलने के लिए आतुर होने लगीं। तन भी थकान के मारे भाराक्रांत हो उठा था।

नील निलय में दामिनी की चमक के संग मेघों की एक गुरु गंभीर गर्जना हुई। यह गर्जना वृष्टि के आने की संदेशवाहक थी। देखते-देखते वृष्टि होने लगी।

वृष्टि के साथ दामिनी उस तिमिरमयी घटाओं के वक्ष को बार-बार चीरती हुई ऐसे चमक उठती थी जैसे निराशाओं के धुँधलेपन में आशा की झलक।

गृहलक्ष्मी को भय लगने लगा। एकाकीपन उसको पीड़ित करने लगा। उसने एक पल के लिए अपनी रूपराशि पर दृष्टिपात किया और उपेक्षा की पीर से रो उठी।

रोते-रोते उसकी आँख लग गई।

प्रकोष्ठ के द्वार पर निस्तब्धता निर्मम प्रहरी के सदृश पहरा दे रही थी।

केवल सुनाई पड़ रही थी—गृहलक्ष्मी की श्वास-प्रश्वास।

निशीथ के क्षण विभावरी के आँचल के नीचे प्रश्रय पा रहे थे।

सीढ़ियों पर पदचाप सुनाई पड़ी। पदचाप कक्ष-द्वार पर आकर रुक गई। कुछ काल द्वार पर रुककर उसने भीतर प्रवेश का साहस किया तो निस्तब्धता के प्रहरी ने उसे रोका।

आगंतुक ने भी उसकी आज्ञा को माना, पर एक पल के लिए फिर तुरंत सबकी अवहेलना करता हुआ कक्ष में प्रविष्ट हो गया।

दीप-शिखा का प्रकाश मद्धिम था जिसे आगंतुक ने प्रखर किया और देखा—'सुषुप्त गृहलक्ष्मी को।'

पराजित-निरुत्साही मन था मनु का आज। वह यंत्रचालित-सा गृहलक्ष्मी पर झुका। उसे स्पर्श किया।

इस स्पर्श से गृहलक्ष्मी ने अपनी पलकों को, कलियाँ जिस तरह विकसित होती हैं, उस तरह खोला।

हृदय को विश्वास नहीं हुआ। सोचा—'यह स्वप्न है या सत्य?'—और तुरंत उसने मनु के अंग-प्रत्यंग को स्पर्श करके अपने भ्रम का निवारण किया। क्योंकि आज दीर्घकाल के बाद मनु उसके शयन-कक्ष में आया था।

प्रणय विह्वल-सी होकर उसने मनु को क्षणभर के लिए आलिंगन में आबद्ध किया और फिर वह उससे नितांत विलग होकर शून्य की ओर निहारने लगी।

मनु कंपित स्वर में बोला—'महिषि! विलग न हो।'

'...।'—गृहलक्ष्मी मूक रही।

'मुझसे रूठ गई हो?'

'...।'—इस बार गृहलक्ष्मी ने अर्थभरी दृष्टि से देखा। नयन मानो बोल उठे—चतुर पुरुष तुम्हें रमणी की दुर्बलता से खूब खेलना आता है।

'प्रिये!'

—गृहलक्ष्मी को इतना रोष आया कि वह मनु को दुत्कार दे, फटकार दे, अपमानित कर दे पर वह ऐसा नहीं कर सकी। न जाने क्यों वह ऐसा नहीं कर सकी, कदाचित वह एक धर्मपरायण पत्नी थी। तो भी अपने अंतर की असंतुष्टि को निकालती हुई वह उष्ण स्वर में बोली—'आज उस गणिका ने दुत्कार दिया क्या?'

प्रहार मार्मिक था। मनु विचलित हो गया। एक पल में उसकी आकृति पर क्रोध की विकृत रेखाएँ उठीं और मिट गईं।

'नहीं! आज मैं तो भ्रमण करने गया था।'—अपराधी की भाँति दृष्टि को इधर-उधर मटकाकर उसने कहा।

'ऐसा तो आज तक नहीं हुआ है?'

'मैं सच कहता हूँ प्रिये कि आज मैं वासवदत्ता के यहाँ गया ही नहीं।'

'विश्वास नहीं होता आप पर?'

'नारी का दूसरा नाम अविश्वास है।...गृहलक्ष्मी! नारी को विश्वास दिलाने के लिए प्रत्यक्ष प्रमाण चाहिए और प्रत्यक्ष प्रमाण प्रत्येक पल सुलभ नहीं होते!'—मनु की दृष्टि गृहलक्ष्मी के चेहरे पर जम गई।

गृहलक्ष्मी भी पुरुष की उस स्थिर दृष्टि से उत्पन्न लज्जा के कारण नत-नयन हो गई।

कुछ काल यह प्रथम प्रणय-लीला का अभिनय होता रहा। एकाएक सर्प के डंक मारने की क्रिया को देखकर प्राणी सावधान होता है, ठीक उसी प्रकार गृहलक्ष्मी अपने कर को मनु के हाथों से मुक्त करके कह उठी—'नहीं, मुझे आप छोड़ दें। मुझे मत छूइए।'

मनु के मर्म-स्थल पर आघात लगा। वह सत्वरता से बोला—'तुम मेरे आनंद में विघ्न डाल देती हो, आत्मा को तुम एक अतृप्ति की पीड़ा में जलने के लिए छोड़ देती हो, तुम्हारा यही स्वभाव कभी संघर्ष में परिणत हो जाएगा।'—मनु ने एक चेतावनी दी।

गृहलक्ष्मी ने मनु के तमतमाए ताम्रवर्णी चेहरे को देखा और मन-ही-मन सोचा—'जिस प्रकार तुम्हारे हृदय को दुःख पहुँचता है, ठीक उसी प्रकार तुम्हारे पर-स्त्री के गमन पर मुझे पीड़ा होती है। जब मैं एकाकी वरदानमय यौवन को लिए अभिशापित पल व्यतीत करती हूँ, तब तुम्हें मुझ पर तनिक भी दया आती है? जब मैं आपका चरण-स्पर्श करके अनुनय से कहती हूँ कि नाथ! आज मत जाइए, तो आप मेरी प्रार्थना को कुचल करके हृदयहीन की भाँति चले जाते हैं।...निर्मोही कहीं के, जाइए न, कौन रोकता है आपको?...पर आज, आज मैं भी आपको सुख नहीं दूँगी, आप मुझे रह-रहकर जलाते हैं, तो मैं भी आपको एक संग जलाकर भस्मीभूत कर दूँगी।'—सोचते-सोचते गृहलक्ष्मी के नयनों में अश्रु छलछलाए।

'अरे तुम रोती हो?'

'नहीं!'—अनिच्छा से कहा गृहलक्ष्मी ने।

'धत्, पोंछो इन आँसुओं को,...गृहलक्ष्मी! मेरी एक बात सुनो! मैं वासवदत्ता के यहाँ अवश्य जाता हूँ, पर केवल आमोद-प्रमोद के लिए।...गृहलक्ष्मी! मैंने स्वप्न में भी किसी अन्य स्त्री से दुष्कर्म करने के बारे में सोचा तक नहीं है।'—मिथ्या की पराकाष्ठा का उल्लंघन करके मनु बोला।

'मन, मन का भेद नहीं जानता।'

'पर मन, मन का विश्वास तो कर सकता है।...गृहलक्ष्मी! मैं प्रभु से यही प्रार्थना करता हूँ कि वे मुझे बस इस पतन से बचाए।'–मनु ने पुनः गृहलक्ष्मी का कर पकड़कर अपने सन्निकट शय्या पर उसे बैठा लिया–'गृहलक्ष्मी! मेरे मन-मंदिर में केवल तुम्हारा वास है। संगीत और नृत्य का प्रेमी होने के कारण मैं वासवदत्ता के यहाँ अवश्य जाता हूँ, पर अभी तक उसके किसी भी अंग का पतित भावना से स्पर्श तक नहीं किया। भरोसा रखो! मैं तुम्हें चाहता हूँ, केवल तुम्हें ही चाहूँगा, आज भर नहीं, आने वाले कल में भी।'

भारतीय नारी ने पति के विश्वासों में, आश्वासनों में, और मिथ्या प्रेम-प्रदर्शन में अपने हृदय का सकल द्वेष-कलुष मिटाकर उसे अपना जीवन समर्पण कर दिया। पुरुष फिर विजयी हो गया।

13

नगरपति के हाथ में मधु-चषक थमाती हुई वासवदत्ता बोली–'आपको इस तुच्छ नर्तकी का साधारण नृत्य पसंद आया?'

'साधारण कैसा? अनुपम क्यों नहीं कहती?'–नगरपति ने मधु का एक घूँट पीते हुए कहा–'तुम्हारे अधरों से गीत, हाथों से अर्थ, नेत्रों से भाव और पाँवों से ताल का सुंदर प्रदर्शन देखकर तो मैं स्तंभित रह गया। गणिके! मेरे मन से तुम्हारी स्मृति ओझल हो रही थी, यह तुमने उचित ही किया कि मुझसे मिलने की अभिलाषा प्रकट की।'

'और मैं इसका धन्यवाद सामंत-पुत्र मनु को देती हूँ, जिसने कार्षापण, अर्धवाद, भाषक तथा रूपी[1] की चिंता किए बिना इस उत्सव को पूर्णरूपेण सफल बनाया।'

'मनु से हम भलीभाँति परिचित हैं। वह श्रेष्ठ सामंती-वंश का है। बहुत दिन पूर्व वह किसी अत्यंत लावण्यमयी क्रीत-दासी से भी प्यार करता था, जो अंत में गणिका बनकर कहीं सुदूर दक्षिण में चली गई।'

इस कथन पर वासवदत्ता के कान खड़े हो गए।

प्रीति-भोज के उपरांत नगरपति का ध्यान वासवदत्ता की ओर आकृष्ट हुआ था, पर राज्य-प्रतिष्ठा का ध्यान रख करके उन्होंने उसे मिलने का आमंत्रण नहीं दिया था; पर जब वासवदत्ता ने स्वयं उनसे मिलने की इच्छा प्रकट की, तो नगरपति ने तुरंत इस इच्छा को पूर्ण करने की स्वीकृति दे दी।

---

1. बौद्धकालीन सिक्के।

और आज—

सांध्य-नक्षत्र के उदय होने के संग ही नगरपति की व्यक्तिगत वाटिका में वासवदत्ता की शिविका आकर रुकी।

नगरपति पूर्व से ही प्रतीक्षा कर रहे थे। पलक झपकते ही वे उसके समीप गए। वासवदत्ता का हाथ अपने हाथ में लेकर शिविका से उतरने में संबल दिया। वासवदत्ता का शीर्ष और नयन दोनों प्रणाम हेतु नत हो गए।

तत्पश्चात् नगरपति ने उसे अपनी वैभव-संपन्न वाटिकाओं में विहार कराया।

जब नक्षत्रों से नभ दीप्त हो उठा, तब वे दोनों केलि-भवन में पूर्व सज्जित शय्या पर आकर मधु-पान करने लगे।

वासवदत्ता के सामीप्य-संसर्ग से नगरपति अकस्मात चौंककर उठ गए। अस्फुट स्वर में बोले—'ऐसा प्रतीत होता है, जैसे तुम जलती हुई शिखा हो। कितनी तपिस है तुम्हारे अंग-अंग में?'

वासवदत्ता कुछ देर तक मूक रहकर विचित्र दृष्टि से नगरपति को देखती रही।

नगरपति अपनी दृष्टि को कभी वासवदत्ता पर और कभी यत्र-तत्र धावित करने लगे।

'शिखा या शीतलता?'—लघु शब्द उच्चारित करके वासवदत्ता ने अपने नयनों की भावना को नगरपति के लोचनों की भावना से टकराया और मंत्र-मुग्ध-सी नगरपति के कंधे पर अपनी गर्दन टेककर तप्त-द्रुत निःश्वास भरने और तजने लगी।

नगरपति प्रस्तर-प्रतिमा-से अचल खड़े रहे निर्विरोध और निर्वाक!

वासवदत्ता उनसे हठात् विलग होकर वातायन के समीप खड़ी हो गई।

वे आवेश-भरे स्वर में बोले—'वासवदत्ता! तुम हमसे दूर क्यों हो गई?'

'ऐसे ही महाराज!'—मलिन स्वर उस प्रकोष्ठ में संगीत की भाँति गूँज उठा।

'तुम इस भाँति हमारे सुख में आघात पहुँचाना श्रेयस्कर समझती हो?'—नगरपति गंभीर हो गए।

'नहीं महाराज! जब कभी मैं जीवन का अपरिमित आनंद लूटने लगती हूँ, तो मेरा अपमान मुझे एक मार्मिक यंत्रणा देने लगता है। मेरे रोम-रोम में पीड़ामय जीवन उत्पात मचाने लगता है। मेरे मधुमय प्रेम-नीड़ को क्षत-विक्षत करने के लिए वह वाचाल हो जाता है।'

'कौन-सा अपमान है वह?'

'असह्य अपमान!'

'किसने किया?'

'आपके अपने प्रियजन ने।'

'मेरे प्रियजन ने?'

'हाँ महाराज!'

'असंभव है।'

'इसलिए कि आपका हृदय निर्मल जल की भाँति स्वच्छ है, पर दूसरों का हृदय तो कल्मष की भाँति कलुषित भी हो सकता है।'

'यह बता सकती हो कि वह कौन है?'

'चरण-धूलि को उसका परिचय देना और उसके अपराध को बताना स्वीकार है किंतु यह सब बताने के पूर्व मैं इसकी स्पष्टोक्ति चाहती हूँ कि अपराधी को दंड निश्चय ही मिलना चाहिए।'

'क्यों?...अपराध प्रमाणित हुए बिना दंड देना न्याय के विरुद्ध नहीं समझा जाएगा?'

'लेकिन अपनी आत्म-रक्षा हेतु अपराधी भाँति-भाँति के तर्क उपस्थित करके अपने अपराध को निरपराध का रूप भी दे सकता है?'

'यह कैसे हो सकता है?'

'महाराज! व्यक्तिगत अपराधों के लिए प्रमाणों का प्राप्य होना अति दुर्लभ है और बिना प्रमाण के अपराध प्रमाणित नहीं किया जा सकता।'

नगरपति अविचल से वासवदत्ता के समीप खड़े होकर अंधकार की ओर निहारने लगे।

उनकी भंगिमा से प्रतीत हो रहा था कि इस तिमिर के महाशून्य में वे इस समस्या के समाधान का अनुसरण कर रहे हैं। उन्होंने वासवदत्ता को नितांत मौन देखकर कुछ कहना चाहा, पर कह नहीं सके। तब वासवदत्ता शय्या की ओर बढ़ी—'महाराज! आप आज्ञा दें। मैं प्रस्थान करना चाहती हूँ?'

'प्रस्थान करना चाहती हो?'—नगरपति ने विस्मय से पूछा।

'हाँ, रात व्यतीत हो रही है।'—वह द्वार की ओर बढ़ी।

नगरपति पथ-प्राचीर बन गए—'व्यतीत होती है तो होने दो। पर तुम मत जाओ।'

'महाराज! न्याय-निर्णय पर आपकी मूकता मेरे हृदय में विचित्र भावों की सृष्टि कर रही है। मैं सोच रही हूँ कि क्या महाराज अपनी स्वेच्छा से मेरे अपमान के प्रतिशोध का प्रतिकार नहीं निकाल सकते?'

उत्तेजना से तापित नगरपति का अहम् भाव बोल उठा—'मैं इतना निर्बल हूँ क्या?'

'ऐसा मैं कैसे कह सकती हूँ?'

'समझती तो हो?'

'नहीं, मैं आपको निर्बल नहीं समझती पर अपनी ओर आपको तनिक उदासीन पाती हूँ।'

'नहीं वासवदत्ता! तुम्हारे हृदय के मूक क्रंदन में तुम्हारी निर्दोषता की वाणी सुन रहा हूँ। तुम्हारा अपमान करने वाले का सम्मान शीघ्र ही धूल-धूसरित होगा।'

शिशु की भाँति अबोध बनकर वासवदत्ता ने नगरपति के वक्ष पर अपना मस्तक रख दिया। बोली—'राजनीति के कर्ताओं की वार्ता पर विश्वास नहीं किया जाता; क्योंकि राजनीति से धर्म गौण माना गया है, फिर आप तो नृप हैं। दायित्वों से बँधे। न्याय के मानदंडों से जकड़े। लोकदृष्टि में मेरा काम अनुचित भी हो सकता है। अतः आप मुझे वचन दीजिए।'

'वचन!'—नगरपति के मन ने रोका, 'यह गणिका है जो समयांतर में कितने ही रूप बदलती रहती है। उन सबों के भिन्न-भिन्न तात्पर्य और स्वार्थ होते हैं।'

'किसी को प्राण दंड दिलाने की इच्छा है क्या?'—नगरपति ने विहँसकर कहा—मानो वे परिहास में वासवदत्ता के मन की थाह लेना चाहते हैं।

'नहीं।'

'किसी धनी को धनहीन करना है?'

'नहीं।'

'तो?'

'केवल किसी को श्रीहीन करके निर्वासन देना है।'

'क्यों?'

'महाराज! उसने मेरी प्रतिष्ठा को धूल-धूसरित करने की चेष्टा की थी।'

'तुम्हारी प्रतिष्ठा को?'

'हाँ।'

'कैसे?'

'एकांत में।'

'क्यों?'

'मैं क्या जानूँ?'

'फिर तुमने अपनी रक्षा उससे किस प्रकार की?'

'युक्ति से।'

'सुंदर! तुम्हारी बुद्धि...।'

'महाराज!'—बीच में बोली वासवदत्ता—'उस दिन भगवान मेरा साथ नहीं देता तो मैं...।'

'अपनी बात स्पष्टता से कहो?'

'घटना दो माह पूर्व की है।

अपराह्न काल था।

गगन मेघाच्छन्न था।

मारुति के अदृश्य झूले पर चढ़कर मन-मयूर मतवाले हिचकोले ले रहा था।

तत्क्षण किसी के आने की आहट सुनाई पड़ी।

मेरे प्रकोष्ठ का द्वार बंद था। मैंने समझा कोई परिचारिका होगी। पर मैंने

देखा—एक अत्यंत गोरा चरण द्वार के भीतर प्रवेश कर रहा है। वह चरण एक तरुण का था।

मैं उसे देखती रही और वह मुझे देखता रहा।

एक पल, दो पल, तीन पल देखने में ही व्यतीत हुए तब उस तरुण के अधर मुस्करा पड़े। मुझे एक अद्भुत आकर्षण की विद्युत उस मुस्कान में जान पड़ी। सम्मोहित-सी उठकर मैं तरुण के समीप गई। तरुण ने दो डग और बढ़ाए।'

मैंने किंचित स्मितरेख से कहा—'प्रणाम!'

युवक अपनी वाणी में मधुमय प्रणय सिंचित करता हुआ बोला—'प्रणाम देवी।'

'आसन ग्रहण कीजिए।'—मैंने कहकर मन में सोचा—'व्यक्ति सुसंस्कृत एवं सभ्य है।'

युवक हिम-सी श्वेत संगमरमर की वेदी पर बैठ गया।

'तुम्हारा नाम वासवदत्ता है?'

'जी।'

'नगर की श्रेष्ठ सुंदरी, तुम्हारा सौंदर्य, संपन्न तन केवल दृश्यमात्र है या स्पृश्यमात्र?'

आगंतुक का बेढंगा प्रश्न सुनकर मैं सँभलकर बोली—'मेरा सौंदर्य दृश्यमात्र है, मेरा स्पर्श अनिच्छा से कोई नहीं कर सकता।'

'तुम तो गणिका हो, संपत्ति तुम्हारे जीवन का मूलमंत्र है, मैं तुम्हें अतुल संपत्ति दे सकता हूँ।'

'संपत्ति मेरे जीवन का मूल मंत्र अवश्य है, पर आनंद नहीं, हृदय की परम शांति नहीं।'

'गणिका और हृदय?'—तरुण खिलखिलाकर हँस पड़ा—'यह तो तुमने विरोधाभास की बात कह दी।'

'इस विरोधाभास में ही सत्य का सही रूप है। जानते हो, तन का क्रय-विक्रय किया जा सकता है, पर मन का नहीं। मन का तो तभी विक्रय किया जा सकता है, जब वह प्रणय के अटूट बंधनों में बाँध लिया जाए।'—मैंने भावातिरेक होकर कहा।

फिर वासवदत्ता निस्तब्ध हो गई।

अल्प क्षण पश्चात् वह अपने नयनों में नाट्य-नेत्री की भाँति कृत्रिम विषाद लाकर बोली—'महाराज! फिर उस तरुण ने क्या किया...?'

'बताओ, क्या किया?'

'वह हिंस्र जंतु की भाँति मेरी ओर लपका। मैं काँपी, सिहरी और भय से आतंकित हो गई। चीत्कार करने के लिए मैंने अपना मुँह खोला कि उसने झपटकर मेरा मुँह वस्त्र से बंद कर दिया।'

इतना कह वासवदत्ता नगरपति की ओर इस हेतु से देखने लगी कि मेरी कथा

की उन पर क्या प्रतिक्रिया हो रही है? उसने देखा—महाराज की आकृति ताम्रवर्ण-सी हो गई है। भृकुटि वक्र होकर तन गई है।

बाण ठीक निशाने पर था।

वह भर्राए स्वर में बोली—'ओह! कितनी अमानुषिक वेदना की घड़ी थी वह?'

'वह तरुण कौन था?'—रोषयुक्त स्वर में बोल उठे नगरपति।

'मैं उसी तरुण से अपना प्रतिशोध लेना चाहती हूँ!'—धैर्य से कहा वासवदत्ता ने।

'उसके हाथ काट दिए जाएँगे रूपसी!'

'नहीं।'

'क्या यह दंड उचित नहीं?'

'नहीं महाराज! मैं इतनी बीभत्स दंड विधान की समर्थिका नहीं हूँ। मैं तो केवल उस युवक को श्रीहीन करके, उसका नगर से निर्वासन चाहती हूँ।'

'हमें यह दंड देना स्वीकार है।'

'वचन?'

'वचन!'

'महाराज वह आपका प्रियपात्र है?'

'तुमसे भी...?'—महाराज की वासना बोली।

'हाँ!'

'नहीं, मुझे तुमसे प्रिय अन्य वस्तु नहीं लगती है। शीघ्र ही उस चरित्रहीन का नाम बताओ।'

'उस युवक का नाम...?'—कहती-कहती वासवदत्ता मौन हो गई।

'यह कैसा अभिनय?...कहो न रूपसी!'—महाराज अपनी अतृप्ति से वाचाल हो गए।

'आपका राजकवि राहुल।'

'गणिके!'—नगरपति चीख-से पड़े।

'महाराज! वचन का पालन कीजिए, नहीं तो रजनी का आँचल विदीर्ण करती उषा रानी आ जाएगी।'

नगरपति ने एक आज्ञा-पत्र लिखकर अपने दास को दे दिया।

वासवदत्ता के नयनों में तत्क्षण प्रतिशोध बोल उठा—'देखा राहुल! नारी के चरित्र को?'

14

प्राची के प्रांगण में अंशुमाली की रश्मियाँ नूतन उन्मेष लेकर नर्तन करने लग गई थीं।

नभ गहरा नीलाभ था। कहीं-कहीं श्वेत घन के टुकड़े पंखों की तरह घूम रहे थे।

चंद नगरवासी अपनी गगनचुंबी अट्टालिकाओं की छतों पर बैठे रश्मियों का अवलोकन कर रहे थे और उन लक्षाधीशों व सामंतों की श्वेत स्फटिक-सी प्रस्तर की बनी अट्टालिकाएँ रश्मियों के प्रकाश से अत्यंत मनोरम लग रही थीं।

प्रवासी व्यवसायी व सेट्टिपुत्र प्रातःकाल की अमृतमयी व स्वास्थ्यवर्धक पवन का आनंद लेने के लिए अपने गृहों से रथों पर सवार होकर उषा की धुंध के संग जो बाहर निकले थे, अब वे पुनः गृहों की ओर लौटने लगे थे।

उन सबका ध्यान उस जन-समूह की ओर लगा हुआ था, जो द्रुतगति से वेगवती धारा के सदृश जन-पथ के दक्षिण छोर पर स्थित हरीतिमाच्छन्न क्षेत्र की ओर बढ़ रहा था—अत्यंत तीव्र कोलाहल करता हुआ।

उस जन-समूह में उस नगर की नई पौध के रूप में शिशु, कलियाँ स्वरूप बालक, अंकुर सदृश किशोर, सुमन भाँति युवक, सौरभ रूप प्रौढ़ और विनाश की स्थिति में कुम्हलाए सुमन के सदृश वृद्ध थे।

उस जन-समूह में सृष्टि की जन्मदात्री, संचालिका और संहारिका नारियाँ भी थीं।

सारे जन-समूह पर श्रद्धा का मौन और दर्शन की उत्कंठा छाई हुई थी।

आपस के तन-घर्षण तथा स्पर्श से अपरिचित वह जन-समूह केवल क्षेत्र की ओर बढ़ता जा रहा था।

वासवदत्ता का रथ भी उसी पथ से जा रहा था।

वासवदत्ता की घनी काजल-सी अलकें उसके शशि-मुख के चतुर्दिक आच्छन्न थीं। उन श्यामल अलकों के मध्य प्रकाशपुंज की भाँति दीप्त उसका आनन अत्यंत भला लग रहा था।

वासवदत्ता की उनींदी पलकों में मद का क्षीण प्रभाव अब भी था। वसन भी अंग-सौष्ठव के अनुसार पहने हुए नहीं थे।

वासवदत्ता का रथ परिचित था—वहाँ के सेट्टिपुत्रों के लिए, वहाँ के नागरिकों के लिए, सामंतों व प्रवासीजनों के लिए।

लेकिन आज उसने एक आश्चर्य पाया। एक बड़ा आश्चर्य कि सारा जनपद, जो उस सुंदरी के रथ की ओर आकृष्ट हो जाता था, आज उसे दृष्टि भर भी नहीं देख रहा था?

उसने ध्यान से उस कोलाहल के मध्य उठते हुए अस्फुट शब्दों को सुनने की चेष्टा की। उसे सुनाई पड़ा—'आचार्य भिक्षु उपगुप्त पधारे हैं, उनका भाषण होगा, भिक्षु उपगुप्त का भाषण अमरवाणी से कम नहीं, चलें, शीघ्र चलें।'

वासवदत्ता ने सही स्थिति जानने हेतु सारथी से कहा—'किसी एक श्रीमान से पूछो तो कि यह जनपद-समूह आज किधर प्रस्थान कर रहा है?'

सारथी ने एक व्यक्ति से पूछकर नम्र शब्दों में निवेदन किया—'तथागत के परम शिष्य आचार्य उपगुप्त का आज नगर में आगमन हुआ है। उन्हीं की वाणी का श्रवण करने सारा जनपद जा रहा है।'

वासवदत्ता ने राहुल से, उस निष्कासित राहुल से जो कल नगरपति के हृदय का उच्छ्‌वास था, आज श्रीहीन और धनहीन होकर कहीं अन्य नगर में भटक रहा होगा—उपगुप्त की अति प्रशंसा सुन चुकी थी। उसके हृदय में कुतूहल जगा, उपगुप्त को देखने का कुतूहल जगा और कुतूहल के साथ जिज्ञासा बढ़ी।

अल्पकाल के लिए मौन रहकर उसने मन-ही-मन कुछ निर्णय किया। फिर अपने आँचल को सुव्यवस्थित करती हुई बोली—'सारथी! रथ उस क्षेत्र की ओर हाँको जहाँ भिक्षु भाषण करेंगे!'

सारथी ने रथ की गति द्रुत कर दी।

वासवदत्ता अचल-सी सोच रही थी—'भिक्षु उपगुप्त का महान् व्यक्तित्व होगा तभी तो समस्त जनपद उसकी ओर इस प्रकार आकर्षित हो रहा है, जिस तरह लौह-वस्तु चुंबक की ओर होती है,...अवश्य ही सौंदर्य-गुण संपन्न होगा, तभी तो जनपद मुझे विस्मृत कर रहा है।'

रथ क्षेत्र में पहुँचा।

क्षेत्र में अपार जनपद सागर-सा उमड़ा हुआ था।

सागर की लोल लहरों की भाँति जन-समूह मौन हलचल कर रहा था।

एक उच्च वेदी पर अत्यंत तरुण-करुण युवक खड़ा अपनी ओजस्वी वाणी में समस्त श्रोताओं में भगवान बुद्ध के निर्वाण-पथ की महत्ता का संचार कर रहा था।

सब पपीहों की भाँति उन शब्दों को स्वाति-बूँद समझकर पान कर रहे थे, कृतार्थ हो रहे थे।

कभी-कभी कोई व्यक्ति अपने समीप खड़े व्यक्ति को धीरे से कह उठता था—'उपगुप्त की वक्तृत्व कला का सब लोहा मानते हैं।'

भिक्षु उपगुप्त धारा-प्रवाह कहते जा रहे थे—'तथागत प्रभु ने कहा है कि सत्य ही नित्य है और सब नश्वर, अतः जीवन को निर्वाण की ओर लगाओ, वृथा निंदा-स्तुति कभी किसी की मत करो; क्योंकि इससे समय व्यर्थ जाता है।'—इतना कहते-कहते भिक्षु के स्वर में घनीभूत व्यथा का मिश्रण हो गया। उनकी प्रेममयी आँखों में पश्चात्ताप

बोल उठा–'तुम राग-द्वेष, निंदा-स्तुति, सुख-दुःख और जीवन-मरण आदि द्वंद्वों की चिंता से निश्चिंत रहो, न्याय और संतोष को अपना भाग्य विधाता समझो, दुःख से कदापि भय मत खाओ। उसकी उतनी उपेक्षा करो कि मानो उसका कोई अस्तित्व ही नहीं है।'–इतना कह भिक्षु उपगुप्त मौन हो गए।

एक श्रोता-जिज्ञासु ने उच्च स्वर में पूछा–'भंते! अहम् क्या है?'

उपगुप्त गंभीरता से प्रश्न का उत्तर देने लगे–'अहम् एक भ्रम है, एक पतन है और एक स्वार्थ है। प्राणी को इससे इतना ही बचना चाहिए जितना एक प्राणी के प्रहार से बचता है।'

जन-समूह में एक प्रकांड पंडित थे। उन्होंने तीव्र स्वर में प्रश्न किया–'भंते! संघों में भिक्षुणियाँ भी रहती हैं। बौद्ध धर्म के मतानुसार वे किस दृष्टि से देखने योग्य हैं?'

इस प्रश्न के संग प्रश्नकर्त्ता पर भिक्षु की दृष्टि स्थिर हो गई और रुक गई पैनी दृष्टि वासवदत्ता की–भिक्षु के सुषमामयी तेजस्वी आनन पर।

वासवदत्ता ने देखा–अलौकिक मुख-मंडल पर सात्विक तथा शांत सौंदर्य छलक रहा है। मुंडन की हुई मुखाकृति, दीर्घ उन्नत-वक्षस्थल और मांसल तन उसके पूर्ण स्वस्थ होने के प्रतीक हैं।

उसने यह भी देखा कि आचार्य उपगुप्त के चेहरे के भाव जैसे कह रहे हैं कि प्रश्न का उत्तर देकर हम प्रश्नकर्त्ता के अज्ञान पर दया कर रहे हैं।

अपने हाथ को शून्याकाश की ओर उठाते हुए उपगुप्त बोले–'बौद्ध धर्म ने नारी को त्रिय रूप में अंगीकार किया है। प्रत्येक भिक्षु जो बौद्ध धर्म की दीक्षा पूर्णरूपेण ले चुका है, वह तथागत के आदेशानुसार बालिका को पुत्रीरूप, युवती को भग्नि रूप तथा स्त्री को माँ स्वरूप मानेगा। महाप्रभु का आदेश है कि प्रत्येक भिक्षु मनसा, वाचा, कर्मणा से इस मान्यता को माने। यदि वह इस आदेश के प्रति तनिक भी उत्तरदायी रहेगा अथवा अपने मानस में दुष्मान उत्पन्न करेगा वह तथागता के संग-संग अपनी आत्मा से भी छल करेगा और अपनी आत्मा से छल करने वाला महापातकी होता है। उसे ऐहिक जीवन में कभी भी शांति नहीं मिल सकती।'

उत्तर सुनकर श्रोताओं में घोर शांति छा गई।

वासवदत्ता उस शांति के वक्ष को विदीर्ण करती हुई दर्प से मन-ही-मन बोली–'श्रेष्ठ भिक्षु! किसी यौवन से तुम्हारा संपर्क नहीं हुआ है। युवती के रूपांतरों से तुम अनभिज्ञ हो। ज्ञान व ध्यान की बातें करने वाले जीवन के उस भेद से भिज्ञ नहीं होते, जिस भेद के तनिक आभास मात्र से ज्ञानी, ध्यानी और त्यागी अपने अस्तित्व को विस्मृत करके एक प्रमाद में मत्त होकर पतन के गहन गह्वर में गिर पड़ते हैं।'

इतना विचार करके वासवदत्ता अपनी शिविका से उतरकर वेदी की ओर अग्रसर हुई।

समस्त जनपद का ध्यान उस अद्वितीय सुंदरी पर केंद्रीभूत हो गया। मत्तगामिनी-सी शनैःशनैः डग उठाती वासवदत्ता वेदी की ओर बढ़ रही थी।

जनपद स्वतः ही उसे पथ दे रहा था।

देखते-देखते वासवदत्ता भिक्षु के सम्मुख आ खड़ी हुई।

भिक्षु विस्मय से वासवदत्ता की ओर देखने लगे और स्वयं वासवदत्ता उसे अनिमेष दृष्टि से इस भाँति देख रही थी जैसे वह अपनी दृष्टि द्वारा हृदय की सकल मनोभावना उँड़ेलना चाहती है।

एक क्षण व्यतीत हुआ ही होगा कि भिक्षु ने शांत भाव से पूछा—'भद्रे! तुम्हारी भी कोई शंका है?'

'हाँ भंते!'

'बोलो।'

'भंते! यदि भिक्षु नारी को इन्हीं रूपों में ग्रहण करके कल्याण समझता है, तो वह नारी क्या करेगी जो किसी भिक्षु के प्रणय-बंधन में अखंड रूप से आबद्ध हो गई है। फिर संसार-चक्र कैसे चलेगा?'

'वह नारी यदि उसमें प्रणय शक्ति का अजस्र स्रोत प्रवाहित हो रहा है तो वह अपने प्रणय-प्रभाव से उस भिक्षु को पुनः साधारण गृहस्थ बना लेगी।...यदि वह युवती इस कार्य में अनुत्तीर्ण रहती है, तब उसे चाहिए कि वह अपने प्रेम में महान् अध्यात्मवाद का समावेश करे। प्रेम में वासना की ज्वाला को नहीं; अपितु ज्ञान के उस आलोक का दर्शन करे। जो प्राणी की भावना को कल्याण की परिधि तक पहुँचा दे, ताकि उस प्रेयसि का प्रेम कषाय वस्त्रधारी भिक्षु के लिए भी ग्राह्य हो।'

'और स्पष्ट कीजिए भंते?'—वासवदत्ता ने तुरंत कहा।

'तब उसका प्रेम संसारी प्रेम की परिधि से उठकर अपने प्रेमी को देवता स्वरूप समझने लगेगा और भिक्षु उस प्रेम को प्रेम नहीं, एक साधना समझेगा, साधना भी अपनी नहीं उस प्रेमिका के कल्याण हेतु भगवान तथागत की कि इस प्रेम-अर्चिका को निर्वाण प्राप्त हो।...रहा भिक्षु! वह सच्चा है तो उस नारी को उसी दृष्टि से देखेगा जो उसके मत में मान्य है।'

'और यदि नारी उससे संसारी प्रेम की अपेक्षा करे तो?'

'यह उसकी बड़ी भूल होगी। वह एक मरीचिका को प्राप्त करने के लिए अपना अंत कर देगी—बिना कोई निष्कर्ष निकाले ही।'—इस बार भिक्षु के लोचनों में अदम्य ज्योति दीप्त थी। पुनः बोला—'जो अपने धर्म व सिद्धांतों में अखंड विश्वास रखता है, जिसने नश्वर काया की वास्तविकता का ज्ञान पा लिया है, जो सांसारिक प्रेम की वितृष्णा से परिचित है—वह तो प्रभु के बताए हुए पथ पर ही चलेगा। वह संसार से ज्यादा अपनी आत्मा के निर्वाण के लिए प्रयत्नशील रहेगा। ध्यान से सुनो—जो क्षणभंगुर हैं, वह ग्राह्य नहीं। मेरे कथन के मर्म को समझने की चेष्टा करो।'

वासवदत्ता रीझ गई भिक्षु पर, भिक्षु के अंग-प्रत्यंग पर, उसके अप्रतिम सौंदर्य पर।

तब वासवदत्ता कर-आबद्ध करके बोली—'आप मेरा आतिथ्य स्वीकार करेंगे?'

'क्यों नहीं?'

'मैं गणिका हूँ!'

'बौद्ध मतावलंबी जातीय भेद नहीं मानते क्योंकि तथागत समदृष्टि सिद्धांत के प्रणेता हैं।'

जाते-जाते वासवदत्ता ने कहा—'आप कब पधारेंगे?'

'कल प्रभात-वेला।'

'भंते! ध्यान रखिएगा कि मैं तत्काल आपके स्वागत हेतु तत्पर रहूँगी।'—कहकर वासवदत्ता ने उन्हें प्रणाम किया।

भिक्षु ने उसे सांसारिक बंधनों से मुक्त होने का आशीर्वाद दिया।

इसके पश्चात् सभा समाप्त हो गई।

जनपद में एक आंदोलन-सा मच गया।

वासवदत्ता अपने रथ पर आरूढ़ हो गई। सारथी ने रथ हाँक दिया।

उसके हृदय में आज एक नवीन हलचल थी, जिज्ञासा थी, मोहाकर्षण था—भिक्षु के प्रति।

15

'आजकल तुम अत्यंत चतुर बनती जा रही हो?'—मनु वासवदत्ता के कर-कमल से मधु-चषक लेते हुए बोला।

'संदेह का कोई उपचार नहीं है प्रिय!' वासवदत्ता ने अनिच्छा से उत्तर दिया।

'उपचार कैसे हो रूपसी?'—मनु ने हठात् कहा—'प्रीति-भोज में संपत्ति व्यय करने के पश्चात् भी मैं तुम्हारे शत्रु को नहीं पहचान सका और न ही तुमने मुझे बताया?'

'मनु! हर बात बताने की नहीं होती है।'—वासवदत्ता की प्यार से ओतप्रोत अँगुलियाँ मनु के कुंतलों में उलझ गईं। उसकी उन्मन पलकों में अथाह अवसाद दीप्त हो उठा। वह मद्धिम स्वर में बोली—'तुमने उसे पहचाना नहीं, इसका मुझे आश्चर्य और दुःख दोनों है, लेकिन मैंने अपने उद्देश्य की पूर्ति कर ली है, शत्रु को दंड दिला दिया है, उससे प्रतिशोध ले लिया है, ज्ञात नहीं, धन व श्रीहीन वह युवक अभी कहाँ और किस दयनीय दशा में होगा?'

मनु यह सुनकर अवाक् रह गया—'क्या कहती हो वासवदत्ता?'

'जो कहती हूँ, सत्य कहती हूँ मनु। मैं जिसको दंडित कराना चाहती थी, वह दंडित हो चुका। मैं विजयोल्लास में मग्न हूँ और वह पराजय के पंकिल में पीड़ित-प्रताड़ित होगा, कहीं, किसी स्थान पर।' और वासवदत्ता के अंतर में कोई बोल उठा—'राहुल पराजित नहीं हुआ है। वह जीत गया है।'

तत्काल वासवदत्ता का व्यवहार-बर्ताव ऐसा प्रतीत होता था जैसे वह मनु से हार्दिक प्रेम करती है।

और मनु के नेत्र करुणा से दहक रहे थे! माँग रहे थे—अपने अंतर की विपुल वासना की तृप्ति और संतुष्टि।

अप्रत्याशित नाट्य-अभिनेत्री की भाँति विहँसी-कोकिल कंठी—'तुम अत्युत्तम चतुर व्यापारी हो!'

'कैसे?'

'धन के परिवर्तन में तन का क्रय करना तुम्हारा मूलमंत्र है, कदाचित् जीवनोद्देश्य है, कौटुंबिक परंपरा है?'—वासवदत्ता अब भी विहँस रही थी।

'नहीं, नहीं, ऐसा न कहो प्रिये! मनु के हृदय में ऐसा हेय विचार उत्पन्न ही नहीं हो सकता?'

'मैं कैसे मानूँ?...जब रात्रि वेला में समस्त वातावरण पूर्ण यौवन से आलोड़ित है...तुम्हारे ऊपर शुभ्र चंद्र, समीप चंद्र की मादक ज्योत्स्ना, यत्र-तत्र-सर्वत्र पुलकित करने वाली मलय-पवन! ऐसे सुंदर क्षणों में तुम यौवन के अतृप्त आनंद की चिर मधु स्मृति का आह्वान नहीं कर रहे हो, अपितु क्षणिक तृप्ति में संलग्न हो?'

मनु अल्पकाल तक वासवदत्ता के शब्दों पर स्तंभित रहा। एक प्रश्नभरी दृष्टि से देखते-देखते किंचित भेदभरी मुस्कान के साथ बोला—'वास्तव में तुम रहस्यमयी हो, पुरुषों को संकेत पर नचाना तुम्हारे बाएँ हाथ का खेल है?'

'यह तुम्हारा भ्रम है।'

'भ्रम के भव सागर में मुझे प्रवाहित करने का प्रयास निष्फल रहेगा। आज मैं तुम्हारी वार्ता के व्यामोह में नहीं आऊँगा। हृदय की पवित्र साध की तृप्ति करके, मैं अमर प्रणय की अंतिम परिधि का प्रतीक 'महामिलन' करूँगा तुमसे।'

मनु ने भी दार्शनिक-से नाट्य-संवाद बोले जिन्हें सुनकर वासवदत्ता की भृकुटि तन गई। बोली—'मैं जैसे-जैसे प्रश्न पूछूँगी, तुम वैसे-वैसे उत्तर दोगे?'

'हाँ!'—केवल मस्तक से संकेत किया मनु ने।

'पवित्र साध से तुम्हारा क्या तात्पर्य है?'

'केवल तुम्हें एकमात्र ग्रहण करना।'

'और अमर प्रणय से?'

'मेरा और तुम्हारा प्रणय इस सृष्टि के रंगमंच पर सदैव सम्मान की दृष्टि से देखा जाए?'—पूर्ण अपनत्व था मनु के स्वर में।

वासवदत्ता ने मनु को एक अबोध बालक समझकर उसके मस्तक पर स्नेहानुरंजित कर फेरा—'मनु! यह मेरा गृह, गृह नहीं, एक अभिनयशाला है, जहाँ कितने ही अभिनेता अभिनय करके चले गए हैं। तुम नहीं जानते कि तुमसे भी मेधावी पुरुष, लक्षाधीश, सेट्ठिपुत्र, सामंत मेरे चरणों की धूलि बन जाने को लालायित रहे। मैंने उन्हें भी श्रीहीन करके अपने गृह का सीधा पथ दिखा दिया।...जानते हो क्यों? इसलिए कि वे नृशंस हिंस्र जंतु थे। वे चाहते थे—मेरे सौंदर्य को विकृत करना। इस मंगलामुखी के समक्ष चंद चाँदी की मुद्राएँ फेंककर उसे अपने जाल में फँसाना, फिर इस तन के उज्ज्वल सौंदर्य को अपनी वासना के गर्म आघातों से निस्तेज कर देना, पर वे ऐसा नहीं कर सके।'

कुछ क्षण पूर्व जो उसके मुख पर सुलभ भाव थे अब वे उस बंदी सैनिक के तप्त उन्वेगों के रूप में बदल गए थे जिसकी परवशता पर अन्य सैनिक कृत्रिम सहानुभूति प्रकट करते हैं, पर उस सहानुभूति का फल कुछ भी नहीं निकलता है।

वासवदत्ता ने पुनः कहा—'क्योंकि मैं भी अपना भविष्य सुरक्षित रखना चाहती हूँ। मैं जानती हूँ कि जब तक यह रूप है तब तक सब है, जब यह रूप नहीं होगा तो कोई भी यहाँ नहीं होगा।'

'ऐसा न कहो?'—मनु बोला, पर उसकी आत्मा ने उससे कहा—'तुम्हारे अंतर की बात जान ली है इसने?'

'क्यों न कहूँ?'—वासवदत्ता बोली।

'इसलिए कि मैंने तुम्हारी प्रत्येक इच्छा को पूर्ण किया है।'

'और उस समय तक करते रहोगे जब तक मैं तुम्हारी केवल एक इच्छा को पूर्ण न करूँ?'

'लेकिन मेरे बारे में तुम्हें ऐसे कुविचार नहीं रखने चाहिए?'

'क्यों नहीं?'

'क्योंकि मैं तुमसे आत्मिक अनुराग रखता हूँ।'

'आत्मिक अनुराग की परिभाषा भी जानते हो?'

प्रश्न जटिल था अतः मनु आश्वस्त होता हुआ बोला—'आत्मिक अनुराग की परिभाषा यही है कि मैं तुम्हें जीवन भर तन, मन और धन से अपनाकर रखूँ।'

'और तुम्हारी पत्नी?'

'पत्नी! वह तुम्हारी तनिक बाधक नहीं बन सकती। हम सामंत हैं। विलास के सागर में आनंद लेना हमारी परंपरा है। हम कई स्त्रियाँ रख सकते हैं।'

'इसलिए ही तो कहती हूँ कि तुम मेरा उपभोग कर सकते हो, ग्रहण नहीं कर सकते।'—वासवदत्ता संयत स्वर में बोली—'मनु! यदि तुम मेरा प्यार वास्तव में पाना चाहते हो तो तुम्हें अपनी पत्नी का परित्याग करना पड़ेगा ताकि तुम्हारा प्यार अजस्र धारा की भाँति केवल मेरे अंतःकरण की वसुंधरा पर ही प्रवाहित हो।'

मनु मौन रहा। उसे वासवदत्ता पर रोष आया–'तुम ऐसा प्रश्न कर देती हो जिसका समाधान दुर्लभ होता है।'

'सामंत! जब सत्य नग्न होकर व्यक्ति के सम्मुख आता है तो व्यक्ति तिलमिला उठता है। कहना जितना सहज है करना उतना ही दुष्कर है। यहाँ आगंतुक श्रेष्ठ अभिनय कर सकता है, प्रभावशाली संवाद बोल सकता है पर वह ऐसी वस्तु नहीं दे सकता जिसकी मुझे आवश्यकता है।'

मनु हतप्रभ-सा वासवदत्ता की ओर निहारता रहा।

उसने देखा और देखकर समझा कि आज इस शारदीय पूर्णिमा-सी सुधामयी मोहिनी के मुख पर व्यथा का विपुल विषाद घोर आंदोलन कर रहा है। हृदय भयंकर विस्फोट करने वाला है, ये उसके नयन बता रहे थे।

और कुछ ही देर बाद उसने देखा कि उसकी उन्मन आँखें निर्झरणी बन गई हैं।

तब मनु झल्ला पड़ा–'आखिर तुम चाहती क्या हो?'

'मैं चाहती हूँ–वह मन-मंदिर जहाँ राम हो और राम के साथ निर्भय सीते। मैं चाहती हूँ–वह सरोवर जहाँ प्रणय-पंकज अपनी समस्त कलाओं के साथ विकसित हो और यदि उसे सूर्य रश्मियों के सिवाय कोई स्पर्श भी कर ले तो मुरझा जाए। मैं चाहती हूँ–वह हृदय, जिसकी धड़कनों से यदि मैं अपनी धड़कन मिलाऊँ तो विचारों में कोई आघात न लगे।...लेकिन मैं देखती हूँ यहाँ आने वाले व्यक्ति मुझ जैसी लाचार नारी को अपनी पिपासा की शांति का उपाय समझते हैं।...वे समझते हैं कि इसका कुंदन-सा तन केवल उपभोग के लिए है। हमारी उस वासना की तृप्ति के लिए है जो समय-समय पर ज्वार-सी उठती है।...इसके साथ-साथ तुम्हारे देश के धर्म, समाज और सत्ता के स्वामियों ने मुझे तो सामाजिक उपभोग की वस्तु बना डाला है और मेरी गृहिणी की सभी कामनाओं का न्यायिक रूप से निषेध कर दिया।'...'मनु!'–वासवदत्ता के हृदय का रोष नयन-नीर बनता ही गया–'यह हृदय इतना त्रस्त हो चुका है कि कभी-कभी यह अपने बाह्य सौंदर्य से तुम्हारे देश, धर्म, समाज और सत्ता का सर्वनाश कर देना चाहता है।...विचारों में संघर्ष की भावना उठती है जो निष्कर्ष में परिवर्तित होती-होती निर्बल हो जाती है और मैं प्रतिशोध लेते-लेते रुक जाती हूँ।...पर अब रुकूँगी नहीं श्रीमंत! इस वैभव के चतुर्दिक आवर्तन में एक ज्वाला जलाना चाहती हूँ और इसको भस्मीभूत करके कहीं दूर पलायन करना चाहती हूँ।'

क्षण-भर का अंतराल!

'मनु!'–वासवदत्ता के अश्रु पूर्णवेग से बहने लगे–'पथ का साधारण व्यक्ति भी मेरे प्रेम को एक अभिनय समझता है। वह कहता है–गणिका किसी की पत्नी नहीं हो सकती है? वह प्रेम करना क्या जाने? और मनु! छल, मिथ्या प्रतिज्ञाएँ, निराधार

विश्वास और प्रपंची प्रेम से अब मैं ऊब चुकी हूँ। अब मैंने सोच लिया है कि गणिका का जीवन अभिशप्त अंगारों की धारा पर चलता हुआ अंत में जरा के पंक में सिसकता-सिसकता समाप्त हो जाता है। इसलिए मेरे पास अपार संपत्ति होनी चाहिए और तत्काल मेरे पास धन होगा तो मेरा जीवन सुखी होगा अन्यथा मेरे लिए श्वान-मृत्यु निश्चित है।'

'जो मुझे कहता है–मैं तुमसे प्रेम करता हूँ, उसे मैं सबसे बड़ा छली समझती हूँ।'

'जो मुझे कहता है–मैं तुम पर सर्वस्व अर्पण करना चाहता हूँ उसे मैं सबसे बड़ा स्वार्थी समझती हूँ और...'

वासवदत्ता इसके आगे कुछ बोले कि मनु उठकर द्वार की ओर बढ़ा। वासवदत्ता उसे रोकती हुई बोली–'जा क्यों रहे हो मनु?'

'मैं कल आऊँगा!' कहकर मनु द्वार से बाहर हो गया।

वासवदत्ता अट्टहास करके शय्या पर विक्षिप्त-सी पड़ गई। सो गई।

16

नवीन प्रभात नूतन आशा लेकर आया।

आज वासवदत्ता अत्यंत व्यग्रता से अपने विशाल भवन के तोरणद्वार पर खड़ी-खड़ी आचार्य उपगुप्त की प्रतीक्षा कर रही थी।

उसकी आँखें बार-बार उससे एक प्रश्न कर बैठती थीं कि उपगुप्त का सौंदर्य कितना अद्वितीय और अलौकिक है!

दो दंडपांशुल आज नवीन वसन पहने बड़ी सतर्कता से पहरा दे रहे थे।

भवन की समस्त परिचारिकाएँ आज स्फूर्ति से भवन को और भवन के प्रत्येक कक्ष को सज्जित करने में तन्मय थीं।

समस्त कक्षों में सुगंध फैली हुई थी।

तोरणद्वार पर दो लावण्यमयी युवतियाँ पुष्पों के थालों में पुष्प सज्जित किए स्वागतार्थ खड़ी थीं। इन दो युवतियों के आगे दो अन्य युवतियाँ खड़ी थीं, जो अतिथि के आगमन पर अपने आँचलों से पथ की धूलि झाड़ेंगी। इसके साथ कई और परिचारिकाएँ थीं जो अपने-अपने कर्त्तव्यों का पालन करने हेतु अत्यंत तत्पर दीख रही थीं।

नियत समय पर प्रतिहारी ने आकर संवाद सुनाया कि बौद्ध-भिक्षु आचार्य उपगुप्त पधार गए हैं। वे नितांत एकाकी हैं।

संवाद सुनते ही वासवदत्ता ने दंडपांशुलों तथा परिचारिकाओं को सावधान किया

और स्वयं द्रुतगति से अपने शृंगार-कक्ष में आ गई।

गर्विता नायिका की भाँति आज उसने पल-भर के लिए दर्पण में अपने मुख को देखा—स्वयं अपने पर मुग्ध हो गई। उसके गौरवर्ण पर स्वर्णिम आभा ऐसे छिटक रही थी जैसे अर्ध-विकसित चंपे के कुसुम पर। उसके काली घटा की भाँति उमड़े घने कुंतल उसके स्निग्ध कंधों पर लहरा रहे थे। प्रतीक्षारत खंजन-नयन अनुराग से अपनत्व की नई सृष्टि की रचना कर रहे थे।

किंचित मोहक स्वर में वासवदत्ता अपने आप बोली—'यदि सौंदर्य का आदान-प्रदान सौंदर्य हो जाए तो कितना श्रेष्ठ हो?'

तोरणद्वार के दंडपांशुल ने भिक्षु के आगमन का समाचार उच्च स्वर में पुनः सुनाया।

वासवदत्ता द्रुतगति से द्वार की ओर भागी।

भगवान बुद्ध के परम आदर्शों के श्रेष्ठ प्रतीक आचार्य उपगुप्त ने कौषाय वस्त्र पहन रखे थे। भवन प्रवेश करते ही वासवदत्ता ने उनके चरण स्पर्श किए। अशैक्ष उपगुप्त ने उसे आशीर्वाद दिया।

वासवदत्ता को विदित हुआ—इस दिव्य पुरुष की चरण-रज से यह भवन एक अलौकिक आभा से आलोकित हो गया है। इन निर्जीव पाषाणों में एक अदृश्य जीवन संचारित हो उठा हे। उसने हाथों से भवन में प्रवेश करने का संकेत किया—आचार्य उपगुप्त को।

महाप्रभु के पथ के कर्त्तव्यपरायणी-वीतरागी-भिक्षु के चरण रखने के पूर्व दोनों परिचारिकाओं ने उपगुप्त को पुष्प मालाएँ पहनानी चाहीं। भिक्षु ने हाथ से रोकने का संकेत करके कहा—'भिक्षु के लिए अपराह्न का भोजन, नृत्य-गीत, मालादि शृंगार, महार्घ-शय्या तथा सोना-चाँदी सब त्याज्य हैं।'

चरण भीतर की ओर बढ़ते गए। दोनों परिचारिकाएँ अपने-अपने आँचलों से पथ-धूलि साफ कर रही थीं।

केलि-भवन के मध्य एक अत्यंत सुंदर चंदन की वेदी थी। उस पर मृगछाला बिछी थी।

वासवदत्ता के अनुरोध पर आचार्य उपगुप्त ने आसन ग्रहण किया। उनके द्वारा आसन ग्रहण करने के पश्चात् वासवदत्ता किंचित हास से बोली—'भिक्षु के स्वागत में किसी प्रकार की त्रुटि तो नहीं रही?'

अपने करुण नेत्रों को ऊपर की ओर उठाकर उपगुप्त बोले—'जिनकी लालसा तृप्त है, वे किसी भी कार्य में त्रुटि नहीं निकालते।'

'तो मैं समझूँ कि भिक्षु ने मेरा आतिथ्य-सत्कार हृदय से पसंद किया?'

'निस्संदेह!'

'मैं अपना अहोभाग्य समझती हूँ।'—वासवदत्ता ने अपना आँचल एक बार तन

पर से उठाकर फिर कटि-प्रदेश के चारों ओर से कस लिया।

आचार्य उपगुप्त ने एक क्षण मौन रहकर महाप्रभु का ध्यान लगाया—'परित्राण धर्मदेशना, परित्राण धर्मदेशना।'

मंत्र के स्मरण से उनके हृदय की करुणा विराट् हो गई। उन्होंने निर्मल मन से पूछा—'भद्रे! कल के वाद-विवाद से यह बात स्पष्ट हो जाती है कि तुम्हें किसी भिक्षु से प्रणय हो गया है?'

जैसे नीरवता में अकस्मात नूपुर बज उठते हैं, ठीक उसी प्रकार वासवदत्ता बोली—'हाँ देव! एक ऐसे कर्त्तव्यनिष्ठ भिक्षु से मेरा प्रेम-संबंध हो गया है जिसकी मधुर स्मृतियों का आंदोलन मेरे जीवन के हर क्षण में होता है और होता रहेगा। पर...।'

'यह बात है तो तुम्हारा प्रयत्न विफल होगा भद्रे! अपने को परिवर्तित करने का प्रयास करो। अप्राप्य वस्तु के पीछे भागना बुद्धिमानी नहीं। अमूल्य जीवन को निरुद्देश्य व्यतीत करके अल्पकाल के पश्चात् तुम्हें केवल पश्चात्ताप ही करना पड़ेगा। व्यर्थता का बोध होगा।'

'नहीं भिक्षु! मैं उसे प्रेम-सिंचित कर से स्पर्श कर सकती हूँ।'—कहकर वासवदत्ता ने आचार्य उपगुप्त का हाथ अपने हाथ में ले लिया—'पर वह मुझे किस भावना से स्पर्श करने देता है, इससे मैं अज्ञात हूँ।'

इंद्रिय-विजित भिक्षु के चेहरे पर उस स्पर्श से तनिक भी परिवर्तन नहीं आया। उनके नेत्र अचंचल थे जैसे पाषाण। वे शांत थे। जैसे शून्य स्थान। वे नेत्र मूँदकर संयत स्वर में बोले—'मन पाप का आगार है। यदि इस आगार को श्रेष्ठ व सद्विचारों से पूर्ण कर लिया जाए तो कलुषता को प्रश्रय पाने का स्थान ही नहीं मिलेगा।'

भिक्षु ने जब वाक्य समाप्त किया तब वासवदत्ता ने उसकी ओर निहारा। चौड़े भाल पर दिव्य आलोक दीप्त था। उस आलोक के कारण उसका यौवन और स्वर्गीय देव-सा तन निश्छल लगने लगा था। वासवदत्ता उसके सौंदर्य पर मुग्ध हो गई।

विमूढ़-सी वह भिक्षु के चरणों को सहलाने लगी।

भिक्षु जड़वत् रहा, गतिहीन रहा।

तपाक से बोला—'स्पर्श करने के पूर्व स्पर्श की भावना पर प्रकाश डालो भद्रे?'

'भावना वही है, जिसकी साधना आज मेरे मानस-मंदिर में घोर आंदोलन कर रही है।'

'उस साधना पथ के अंत के सत्य को जानना चाहता हूँ?'

'कार्य परिणाम का द्योतक है। अतः भिक्षु निर्विरोध रहो और मुझे अपना कार्य करने दो?'

'नहीं, मैं इस बात का अभ्यस्त नहीं कि सार को असार समझूँ और असार को सार, अस्पष्टता के रहस्य में बद्ध होना मेरा लक्ष्य नहीं है अतः जो सत्य है,

उससे मैं भिज्ञ होना चाहता हूँ।'

'तो सुनो।'

'... ।'—निर्वाक हो देखता रहा भिक्षु वासवदत्ता को और वासवदत्ता उसके नयनों में अपने नयन गाड़कर, कंपित स्वर में बोली—'भिक्षु! यह स्पर्श मेरे प्रणय का प्रथम चरण है?'

'तुम्हारे प्रणय का?'—भिक्षु हठात् वेदी से उठ गया।

'हाँ भिक्षु! संसार को अपने सौंदर्य से पराजित करने वाली यह सुंदरी तुमसे प्रणय-दान माँगती है।'

'प्रणय!'—उपगुप्त हँस पड़ा—'भिक्षुओं से भिक्षा की माँग सर्वथा अनुचित है। माँगना उसी से चाहिए जिसके पास कुछ देने को हो। हम तो सर्वस्व प्रभु को दान दे चुके हैं। हमारे पास आशीर्वाद के अतिरिक्त कुछ नहीं है।'

'मैं उसी से माँग रही हूँ जिसके पास सर्वस्व है—कुबेर का भंडार और दरिद्र की दया।'—वासवदत्ता उसकी ओर बढ़ी।

उपगुप्त शांत स्वर में बोले—'मुझे भिक्षा दो, मैं जाना चाहता हूँ। समय का सदुपयोग मेरे लिए अनिवार्य है।'

'भिक्षा लोगे तुम!'—विचित्र भंगिमा थी सुंदरी की!

'आतिथ्य-सत्कार को इसीलिए स्वीकार किया था।'

'फिर भिक्षा-पात्र बढ़ाओ।'

'लो।'—भिक्षु का पात्र बढ़ा।

वासवदत्ता के युग्म-कर पात्र पर विस्तृत हो गए।

विस्मय-विमूढ़ भिक्षु ने वातुल वामाक्षी को देखा—'भद्रे! भिक्षा प्रदान करने वाले हाथ रिक्त क्यों?'

'रिक्त!' वासवदत्ता ऐसे बोली जैसे इस शब्द में उपहास है—'कदाचित् संन्यासी को दृष्टि-भ्रम हो गया है।'

'मुझे दृष्टि-भ्रम हो गया है!' वे गंभीर हो गए।

'तभी तो मेरे परिपूर्ण हाथों को रिक्त बता रहे हो?'

'परिपूर्ण!...ओह! अपने करों के आभूषण तुम मुझे भिक्षा में देना चाहती हो?'

'नहीं, आभूषण तो तुम्हें प्रत्येक सेट्ठिपुत्र और सामंत भी दे सकता है।'

'तो?' नग की भाँति चमक उठा विस्मय भिक्षु की आँखों में।

'भिक्षु! इन रिक्त हाथों में एक दुर्लभ वस्तु है। यदि तुम्हारी आत्मा उसे पहचान सकती है तो पहचानो। अंतर्मन के नेत्र खोलो।'

भिक्षु ने चंद पल के लिए अपने नेत्र मूँदकर विचारा।

'क्या सोचा?'

'रिक्त हाथों में अदृश्य वस्तु वासना है, क्यों, ठीक है न भद्रे?'

'वासना नहीं, प्रणय...केवल प्रणय ही नहीं, प्रणय से परिपूर्ण हृदय भी।'

'हृदय?'

'हाँ, मैं तुम्हें इस हृदय का सम्राट बनाना चाहती हूँ।'

'उस सम्राट की प्रजा कौन बनेगी?'

'प्रजा! हमारे हृदय के वेग, आवेग और उन्वेग, लालसाएँ, भावनाएँ, आशाएँ, तृष्णाएँ—ये सभी ही हमारी प्रजा बनेंगी। तुम्हारे सम्राट होने पर विभुता-विप्लव की भाँति हमारे जीवन में उद्वेलित होगी, बोलो भिक्षु! स्वीकार करते हो?'

'क्यों नहीं!'

'भिक्षु।'

'हाँ वासवदत्ता, मैं तुम्हारे प्रणय-दान को स्वीकार करूँगा।'

'इन कानों को विश्वास नहीं होता?'

'मैं भी असत्य भाषण नहीं करता?'

'तो फिर मैं...?'

'लेकिन अभी नहीं, समय के पूर्व मैं किसी का भी प्रणय-दान स्वीकार नहीं कर सकता।'

'तो फिर कब आओगे यहाँ?'

'एक वर्ष पश्चात्!'

'प्रतीक्षा करूँ?'

'महाप्रभु के शिष्य मिथ्या-भाषण नहीं करते। किसी को विश्वास देकर विश्वासघात नहीं करते।'

'बैठो भिक्षु।'—वासवदत्ता ने वेदी की ओर संकेत किया—'भोजन से निवृत्त होकर एक बार मेरा नृत्यावलोकन तो कर लो।'

'नहीं भद्रे!'

'क्यों?'

'तुम्हारे आतिथ्य का समय समाप्त हो गया। अब मुझे अन्य स्थान पर भाषण देने जाना है।'—इतना कहकर उपगुप्त तोरणद्वार की ओर अग्रसर हुए। पीछे थी वासवदत्ता। अपने मन के धैर्य के लिए जाते-जाते भिक्षु से पूछा—'प्रतिज्ञा विनुख तो नहीं होगे?'

'विश्वास रखो।'

'चरणों में प्रणाम।'

'कल्याण हो।'

तत्पश्चात् भिक्षु उपगुप्त के अधरों पर गूँज पड़ा—

बुद्धं सरणं गच्छामि
धम्मं सरणं गच्छामि
सघं सरणं गच्छामि।

17

मनु ने गृहलक्ष्मी के प्रार्थना भरे शब्दों को अनसुना कर दिया।

क्रोध में रौद्र बना चरणों में धराशायी गृहलक्ष्मी पर मनु ने तीव्र पदाघात किया। जन्मजात संस्कारों में पली 'पति परमेश्वर' के सिद्धांत की पोषिका गृहलक्ष्मी पदाघात खाकर तिलमिलाई नहीं, अपितु करुण-क्रंदन करने लगी–'मेरे प्रभु! मुझे क्षमा कर दीजिए कि मैंने आपसे धृष्टता की। मैंने आपका विरोध करते समय बस इतना ही सोचा था कि आप मेरे पति हैं, केवल पति, न कि एक अभिजात वर्ग के प्रतिनिधि, एक सामंत पुत्र, एक आर्यपुत्र जो हर वस्तु का स्वतंत्रता से उपभोग भी कर सकते हैं। स्त्री जिनके लिए, अर्धांगिनी नहीं, भोग्या है।'

गृहलक्ष्मी की प्रार्थना मनु ने स्वीकार कर ली। उसका क्रोध शांत हो गया। 'भविष्य में ऐसी गलती न हो।'

बात यह थी कि आज प्रातःकाल मनु की निद्रा और दिनों की अपेक्षा अधिक देर से भंग हुई थी। नगर में प्रवासी व्यवसायियों का आवागमन होना प्रारंभ हो गया था। गृहलक्ष्मी भी भगवद्-भजन में निमग्न थी। तभी दंडपांशुल ने आकर कहा–'स्वामी से एक प्रवासी व्यापारी भेंट करना चाहता है।'

गृहलक्ष्मी ने दंडपांशुल को कहा–'उनको अतिथिशाला में ठहराओ और कहो कि वे अभी सो रहे हैं।'

दंडपांशुल चला गया।

गृहलक्ष्मी पुनः भगवद्-भजन में तन्मय हो गई।

पाँच पल बीते ही होंगे कि दंडपांशुल ने आकर पुनः निवेदन किया–'वे स्वामी से अभी ही भेंट करना चाहते हैं, कहते हैं कि उनका उनसे एक अत्यावश्यक कार्य है।'

गृहलक्ष्मी ने दंडपांशुल की बात सुनकर अत्यंत संयत स्वर में कहा–'आगंतुक से निवेदन करके कहो कि उनकी विशेष आज्ञा है कि जब वे निद्रा में हों तो उन्हें कोई नहीं जगाए। इसीलिए उन्हें प्रतीक्षा करना अनिवार्य है।'

दंडपांशुल चलने को उद्यत हुआ ही था कि देविका ने आकर कहा–'स्वामी जग गए हैं, वे शौचादि से निवृत्त होने भी चले गए हैं।'

'उन्हें जाकर यह संवाद तो सुना दो कि एक प्रवासी अतिथि आपसे भेंट करने को व्यग्र है।'

'जो आज्ञा!'–देविका चली गई।

अल्पकाल के पश्चात् प्रवासी व्यापारी ने, जो वेशभूषा से दक्षिणांचल जान पड़ता था, मनु से भेंट की।

सर्वप्रथम व्यापारी ने संक्षेप में अपना परिचय दिया। अपनी विशेषताओं और अनुभवों पर प्रकाश डाला तब मनु से अपने व्यापार की बात करने लगा–'देखिए

श्रीमंत! मेरे पास एक अत्यंत लावण्यमयी युवती विक्रय के लिए है और मैंने सुना है कि श्रेष्ठ वस्तु आपके यहाँ सहजता से विक्रय की जा सकती है।'—इतना कह व्यापारी ने चतुर्दिक दृष्टिपात किया।

'हाँ, मैं दासियों का क्रय अवश्य करता हूँ, पर वस्तु श्रेष्ठ होनी चाहिए; वह भी सभी दृष्टिकोण से।'—मनु की दृष्टि व्यापारी के चरणों पर टिकी हुई थी।

व्यापारी मनु के भावों को ताड़ता हुआ बोला—'श्रेष्ठ वस्तु ही श्रेष्ठ व्यक्तियों के पास लाई जाती है श्रीमंत! आप केवल एक दृष्टि भर देख लीजिए। कथन कुछ और होता है और प्रत्यक्ष कुछ और।'

'जैसी आपकी इच्छा।'—मनु के भाल में बल पड़ गए।

व्यापारी भवन से बाहर चला गया।

तोरणद्वार से पंद्रह वर्षीय एक युवती ने प्रवेश किया। युवती साधारण गौरवर्ण की थी। इतनी गौरवर्ण की नहीं कि जितनी उत्तराखंड की युवतियाँ हुआ करती हैं। तो भी युवती दर्शनीय थी।

यौवन के उठते उद्दाम के कारण उसका अंग-प्रत्यंग उषाकाल की सुषमा लिए अरुणिम था। अंग सौष्ठव में दक्षिण भारतीय स्त्रियों की मांसलता पूर्णतया विद्यमान थी। नयनों की मादकता आकुलता के कारण विचित्र-सी लग रही थी।

मनु ने लोलुपता भरी दृष्टि से उस युवती को देखा। जिह्वा को साँप के फन की भाँति कई बार अधरों पर दौड़ाया। तब मनु के ऐश्वर्य संपन्न मन ने कहा—'यौवन!...पूर्ण यौवन।'

और युवती अज्ञात भयभीत कल्पना से किंकर्त्तव्यविमूढ़-सी खड़ी थी।

मनु ने व्यापारी की ओर दृष्टि की। व्यापारी ने उसके तात्पर्य को समझा—'युवती आज्ञाकारिणी है श्रीमंत, आपकी सेवा तन-मन-धन से करेगी।'

'इसका मूल्य?'

'श्रीमंत की इच्छा पर!'

'तो आप प्रस्थान कीजिए, अल्पकाल के उपरांत आप यहाँ आकर अपना मूल्य ले जाइएगा, लेकिन युवती से कह दीजिए हमारी अवज्ञा मृत्यु का आह्वान बन सकती है।'

प्रवासी व्यापारी युवती के निकट गया—'बाले! आज से तुम्हारे स्वामी श्रीमंत मनु हैं। सामंतपुत्र मनु की आज्ञा का पालन तुम्हारा धर्म है। तुम एक दासी हो, अतः एक दासी को अपने कर्त्तव्य को कदापि विस्मृत नहीं करना चाहिए।'

बाले ने अपना मस्तक झुका दिया।

मनु ने परिचारिका देविका को बुलाकर आज्ञा दी—'इसे स्वच्छ वस्त्र पहना एवं पुष्पों से सज्जित करके आज अपराह्न-काल हमारे केलि-भवन में पहुँचा देना।...देखो, शृंगार में किसी प्रकार का अभाव का भास न हो।'

जब गृहलक्ष्मी ने यह समाचार सुना तो उसका रोम-रोम दहक उठा, तड़प उठा। मन में विचार दामिनी की भाँति कौंधने लगे—'अपने को सभ्य शिष्ट और सद् कहने वाले सामंतपुत्र क्रीतदासियों के संग कितना अमानुषिक व्यवहार करते हैं कि मानवता तक काँप उठती है, संकोच से गड़ जाती है।'

आहत भुजंगिनी-सी फुत्कारती हुई गृहलक्ष्मी मनु के निकट गई और अधरों को दाँतों से काटती हुई बोली—'प्रभु! यह कैसा अत्याचार?'

'अत्याचार!'...हठात् मनु बोला—'कौटुंबिक परंपरा को तुम अत्याचार कहती हो, आश्चर्य है!'

'यह परंपरा किसी के प्राण ले बैठेगी?'

'मूढ़ता पर एक प्राण क्या सहस्र प्राण भी मिट सकते हैं। तुम! तुम ऐसे कार्यों का विरोध ही क्यों करती हो जो हमारे लिए सदैव अपेक्षणीय रहे हों, जिन्हें तुम रोकने में सर्वथा असमर्थ हो।'

'इस अपेक्षणीयता को आपको रोकना ही पड़ेगा। मैं आपकी पत्नी हूँ और एक पत्नी अपने सामने इतना अनाचार होना कैसे देख और सह सकती है?'

'इसका तात्पर्य तो यही हुआ कि तुम हमारी आज्ञा की अवज्ञा करोगी?'

'सर्वथा।'

'परिणाम?'

'प्रभु के हाथ है।'

'जानती हो, मेरे मध्य प्राचीर बनकर आने वाले का विनाश निश्चित है।'—मनु का रोष तीव्र हुआ—'भला इसी में है कि भारतीय पत्नी बनकर रहो, पति को परमेश्वर तथा उसके वचनों को ईश्वरीय आज्ञा समझो।'

मनु इतना कहकर के गृहलक्ष्मी को घूरता-घूरता अतिथिशाला से बाहर हो गया।

गृहलक्ष्मी भी अपने कक्ष में आकर बैठ गई। देविका को कंपित स्वर में पुकारा—'देविका।'

'आज्ञा।'—देविका ने नत सिर होकर कहा।

'जाओ, बाले को यहाँ ले आओ।'

'जो आज्ञा?'—कहकर देविका जाने को प्रस्तुत हुई कि मनु का निर्मम स्वर सुनाई पड़ा—'उसकी कोई आवश्यकता नहीं है। तुम उसका शृंगार करो।'

'शृंगार या संहार?'—गृहलक्ष्मी बोली।

'इतनी अशिष्टता है तुम में?'

'जब नारी अपनी शालीनता का त्याग करके रणचंडी का रूप धारण करती है तो...।' गृहलक्ष्मी आवेश में काँपने लगी।

'देविका तुम खड़ी-खड़ी क्या देख रही हो...जाओ।' मनु की आज्ञा पर देविका भयभीत-सी चली गई।

'तो?' मनु प्रहार करने हेतु गृहलक्ष्मी की ओर बढ़ा।

गृहलक्ष्मी भयभीत नयनों से देख रही थी।

'तो मैं ही तुम्हें सदैव के लिए मिटा दूँगा।'—मनु गरजा। तड़प उठा। उसके नेत्रों में हिंसा दहक उठी।

'मेरे प्रभु! संयम से काम लीजिए।'

'प्रभु संबोधित करने वाली दुष्टा! पति की आज्ञा की अवज्ञा करते हुए तुम्हें संकोच नहीं आया?...निर्बुद्धे कहीं की, भारतीय नारी होकर भारतीयता का त्याग करना तुम्हारी हेयता का प्रतीक नहीं?...स्मरण करो, उस सती नारी की कथा को जो अपने अपंग पति को कंधों पर बिठा करके प्रत्येक रात्रि को गणिका के यहाँ ले जाया करती थी और तड़के पुनः लाती थी।...और एक तुम हो जो उसी के वंशज को आमोद-प्रमोद के लिए वर्जित करके उसके स्वाभिमान पर आघात करती हो।'

'पर...?'

'पर से किसी भी सुफल की प्राप्ति नहीं हो सकती। यदि तुम इस भवन में सुखी जीवन व्यतीत करना चाहती हो तो चरण-दासी बन करके रहो अन्यथा मनु का कोप तुम जानती ही हो। तुम्हें प्राणों से हाथ धोना पड़ेगा।'

आतंकित गृहलक्ष्मी मनु के भयानक निश्चय से विचलित हो गई। पति परमेश्वर के चरणों में पड़कर क्षमा-याचना की और नारी-शोषक मनु अपनी विजय पर गर्वोन्नत हो गया। बोला—'मनु को एक नहीं, कई पत्नियाँ तुम्हारे जैसी मिल सकती हैं।'

गृहलक्ष्मी ने क्षमा माँग ली।

18

अपराह्न-काल!

केलि-भवन!!

क्रीतदासी बोले सुमनों से सज्जित किन्नरी-सी लग रही थी।

सारा केलि-भवन सुगंधित था।

देविका ने अंतिम बार बाले के भाल पर बिंदिया लगाते हुए कहा—'बाले! आज तुम्हारे जीवन का नवीन अध्याय प्रारंभ होगा, किस भाँति होगा, भगवान जाने?'

इतना सुनते ही बाले के नयन भय से आतंकित हो गए। अज्ञात आशंका से उसका रोम-रोम थर्रा उठा। कंपनमयी दृष्टि से उसने देविका को देखा और देविका के अधरों पर विडंबना की स्मित-रेखा धावित हो गई।

देविका बाले को और बाले देविका को रहस्यमयी दृष्टि से देखती रही और देखते-देखते देविका केलि-भवन से बाहर हो गई।

देविका के बाहर होते ही मनु ने प्रवेश किया।

आज मनु ने अपने तन और वसनों पर सुगंधित द्रव्यों का अनावश्यक प्रयोग किया था। जिसके कारण सौरभ महक रहा था। नयनों में आवेग का संघर्ष था।

एक पल बाले को क्षुधित दृष्टि से देखकर, मनु ने मधु-चषक की ओर संकेत किया–'बाले! मुझे मधु से चषक भरकर दो।'

बाले हतप्रभ-सी हो गई।

तीव्र दृष्टि से उसने मनु को देखा–उसके नयनों के भाव स्पष्ट रूप में ये थे कि यह पेय नितांत हेय है। वह मूक खड़ी रही–स्पंदनहीन।

'मेरे कथन पर तुमने ध्यान दिया?'

'हाँ श्रीमंत!'–बाले ने मधु को चषक में उँड़ेला और मनु को देने के लिए उसकी ओर अग्रसर हुई।

मनु ने मधु-चषक ले लिया–'सुंदरी! मधु मधुबाला के कर से पेय करने में ही प्रियकर लगता है और वह अपना पूर्ण प्रभाव भी डालता है अतः तुम्हीं पिलाओ।'

बाले की आकृति पर विक्षेपण नर्तन कर उठा।

मनु चषक लेकर शय्या पर अर्धशायिता हो गया।

कंपित कर में चषक की मधु हिल रही थी। मनु ने एक पल उसे ध्यान से देखा–'दूर क्यों खड़ी हो, निकट क्यों नहीं आती, जानती नहीं, हम तुम्हारे स्वामी हैं।'

बाले निस्पंद-सी मनु की शय्या के सन्निकट आई।

मनु ने चषक वाला हाथ बाले के मुँह की ओर बढ़ाया और उसका दूसरा हाथ बाले की कटि प्रदेश के चतुर्दिक व्याल की भाँति लिपट गया।

'पियो न बाले?'

'नहीं।'

'क्यों?'

'यह पेय पतनोन्मुखी है?'

'एक किंकरी के लिए पतन-उत्थान दोनों ही बराबर हैं।'

बाले मौन हो गई।

उसका आनन विश्री हो गया।

पुरुष की पिपासा मधु की आहुति पाकर पैशाचिक क्षुधा-सी भयंकर हो गई।

नारी काँप उठी।

पुरुष की उत्तेजना बढ़ती गई।

नारी, क्रीतदासी निर्विरोध रही।

उसके आत्मा में एक प्रभंजन उठा।

पुरुष शंकित हो गया पर उसके उर के प्रबल उद्दाम काम ने उसे और उकसाया।

नारी विद्रोहिणी बन गई।

पुरुष ने प्रमादियों-सा अट्टहास किया।

नारी ने अपने सतीत्व की रक्षा हेतु भागने का प्रयास किया।

पुरुष ने नारी के चतुर्दिक प्राचीरें खड़ी कर दीं।

नारी विवश हो गई।

करुणा का आँचल उसने पुरुष के समक्ष विस्तृत कर दिया।

पर पुरुष निर्दयी, निर्मोही और निर्मम निकला।

नारी को नोचने के लिए वह आतुर हो उठा।

परवश नारी ने प्रभु को पुकारा—अपने परित्राण के लिए।

प्रभु नहीं आया।

लेकिन नारी ने बार-बार प्रभु को पुकारा।

पर प्रभु एक बार भी नहीं आया। वह अपने परित्राण के लिए पुकारती रही—पुकारती रही और अंत में अचेत हो गई।

19

समय उड़ता जा रहा था।

शयनकक्ष में जैसे ही दीपिका ज्वलित हुई वैसे ही वासवदत्ता ने शय्या पर सोते हुए निःश्वास छोड़ा।

उसका निःश्वास इस बात का प्रतीक था कि सुंदरी को किंचित परिताप है। परिताप क्या था प्रणय-परिभूत वासवदत्ता के मन को शांति नहीं मिल रही थी।

संध्या पर रजनी का अधिकार हो गया था।

वासवदत्ता शय्या पर निढाल थी।

परिचारिका तिलोत्तमा ने प्रणत होकर पूछा—'आप भोजन कब करेंगी।'

वासवदत्ता ने कहा—'आज मैं भोजन नहीं करूँगी।'

तिलोत्तमा मुँह लगी थी अतः तुरंत बोली—'क्यों?'

'सत्य भाषण करते भय लगता है। कदाचित् तुम भी मेरा परिहास कर बैठो।' प्रश्नभरी दृष्टि तिलोत्तमा पर स्थिर थी।

'नहीं, भृत्य अपने स्वामी संग ऐसी अशिष्टता थोड़े ही कर सकता है?'

'तिलोत्तमा! उपगुप्त की दिव्य आकृति मेरे मन में बस गई है। मुझे ऐसा प्रतीत होता है जैसे उसके बिना यह सौंदर्य सारहीन है।'

'तो फिर?'

'उसे अपने प्रणय-बंधन में बद्ध करके उसको साधनाच्युत कर दूँ। जानती हो, उसने मेरी, मेरे अनुपम रूप-यौवन की उपेक्षा की है अतः उसे अपनी मादक दृष्टि

से आहत करके अपना परमप्रिय बना लूँ।'

'ऐसा होना असंभव है।...क्योंकि वासना ने त्याग पर आज तक विजय नहीं पाई।'

'तुम तो सहज स्वभाव की हो। राजर्षि विश्वामित्र का घोर तप मेनका के सौंदर्य व स्वर पर इस प्रकार विमोहित हुआ जिस प्रकार अहि बीन पर। शकुंतला के अतुलनीय रूप पर आसक्त राजा दुष्यंत अपनी अधीरता को अल्पकाल के लिए नहीं रोक सके और उन्होंने तुरंत शकुंतला से गंधर्व विवाह किया। तुम क्या जानो तिलोत्तमा, और तो और, नारी-सौंदर्य ने महर्षि नारदजी को भी वानर बनाकर नचा दिया।'—इतना कहकर वासवदत्ता सव्यंग्य हँस पड़ी। पलकों को सभावार्थ झेंपाया जैसे वह तिलोत्तमा से पूछना चाहती है कि अब तुम क्या उत्तर दोगी?

वासवदत्ता पुनः बोली—'अब तुम्हीं बताओ न, ऐसे पुरुषों का तप खंडन तथा मर्यादा भंग करने में कितनी देर लगेगी?...पाप प्राणी को अपनी ओर तुरंत आकर्षित कर लेता है।'

तिलोत्तमा एक अबोध श्रोता की भाँति निश्चल बैठी रही, सुनती रही।

'मुझे ही देखो न?'—वासवदत्ता ने अपने आपको संकेत किया—'मेरे सात्विक जीवन के समस्त साधन छीन लिए गए हैं। गृहलक्ष्मी को हाट की रानी बना दिया है। सेवा करके सृष्टि का संचालन करने वाली को यौवन विक्रय करने के लिए विवश कर दिया है।'

वासवदत्ता के कमलनेत्र तप्त अंगारों की भाँति दहक उठे।

तिलोत्तमा निस्सार उश्वास छोड़कर गमन करने को उद्यत हुई जैसे उसे इन बातों से कोई प्रयोजन नहीं, तनिक भी लगाव नहीं।

उसके चले जाने के बाद वासवदत्ता भी किसी पीड़ा में जलती हुई जाग्रतावस्था में शय्या पर पेट के बल सो गई।

अभी तंद्रा के मधुर झोंकों ने उसे सहलाया ही था कि तिलोत्तमा आई—'श्रीमंत मनु पधारे हैं।'

वासवदत्ता के लोचन उपेक्षा से फैल गए—'जाकर कह दो कि वासवदत्ता नहीं है। वह जल-विहार करने के लिए... ।'—वासवदत्ता अपना वाक्य पूरा करे, इसके पहले ही चिर-परिचित मनु की वाणी गूँज उठी—'सरिता-कूल को चली गई है अतः आप कल पधारिए।'

'मनु!'—वासवदत्ता चीखी।

'क्रोध की आवश्यकता नहीं।'—निश्छल भाव से हँस रहा था मनु। उसकी इस क्रिया में वासवदत्ता को तीव्र व्यंग्य का भास हुआ।

वह जल उठी—'मनु! तुम बिना आज्ञा के यहाँ क्यों आए?'

'क्यों?...क्या मुझे यहाँ आने का अधिकार नहीं?'

'नहीं?'

'क्यों?'

'तुम मेरे हो कौन?'

'मैं तुम्हारा हूँ कौन?'—पीड़ा से आहत-सा हो गया मनु।

'हाँ! तुम हमारे हो कौन?'—क्रोध से बोली वासवदत्ता—'मैं पूछती हूँ कि तुम हो कौन?'

'मैं तुम्हारा प्रेमी हूँ, अपना हूँ।'

'तुम मेरे अपने हो?'—जोर से विहँस पड़ी—'मनु! मेरे अपने दो ही हैं—एक है मेरा अपना तन, दूसरा है मेरा मन?'

'और इस तन और मन पर मेरा कोई अधिकार नहीं?'

'क्यों नहीं?...मनु! यह तन धन का है, जिसके पास धन है, यह तन उसी का है लेकिन मन की बात कुछ और है?'

'इसका तात्पर्य?'

'एक प्रवासी व्यापारी का यहाँ आगमन होने वाला है। मुझे उसके संग जल-विहार करने जाना है?'

'मेरा इतना अपमान?'

'मैं किसी का क्या अपमान कर सकती हूँ? गणिका हूँ, अपने धर्म का पालन कर रही हूँ।'

'मैं भी तुम्हें जितना चाहो, धन दे सकता हूँ?'

'मनु! मैं गणिका हूँ, इतना ध्यान रखो!' धीरे से कहा वासवदत्ता ने—'आज मुझे उसके संग जल-विहार करने जाना ही पड़ेगा। मैं वचनबद्ध हूँ।'

'यह मेरा अपमान है वासवदत्ता, अपमान?'—व्यथा से आहत मनु झुंझला उठा।

'गणिका के यहाँ आने वाले को अपमान-सम्मान पर सोच-विचार नहीं करना चाहिए।'—स्वर को परिवर्तित किया वासवदत्ता ने—'मेरी समझ में मैं तुम्हारा कोई अपमान नहीं कर रही हूँ, फिर तुम अपने मन में जैसा सोचो-समझो, वैसा कहो, मेरा कोई प्रतिरोध नहीं?'

'पर तुम यह तो जानती ही हो कि मैं...?'

'अभिमान को त्यागो मनु?'—वासवदत्ता तिक्त स्वर में बोली—'तुम सामंत हो तो क्या हुआ? मेरी इच्छा के विरुद्ध इस भवन का पत्ता तक नहीं हिल सकता? यहाँ तुम्हें आना रुचिकर लगता हो तो आओ अन्यथा अभी ही चले जाओ, यह रहा रास्ता?'

'और नहीं गया तो?'—कृत्रिम हठ किया मनु ने।

'यह असंभव है, मैं एक नहीं, तुम्हारे जैसे कितने ही सेट्ठिपुत्रों व सामंतों का क्षणभर में ही एक वितान तान दूँगी और उनके समक्ष तुम्हें अपमानित करूँगी, धक्के

देकर निकाल दूँगी।'

'क्या कहा?'—मनु की मुट्ठियाँ बँध गईं। उसके मन में आया कि इस छलनामयी की ग्रीवा पकड़कर सदैव के लिए उसे महायात्रा करा दे पर परिस्थितिवश वह मौन रहा।

'धक्के देकर निकलवा दूँगी?'—दंभ वासवदत्ता के नयनों में था।

'इतना साहस है?' मनु गरजा!

'हाँ!'

'तुम नितांत पतित हो गई हो।'—इस बार मनु की आँखों में क्रोध के साथ घृणा भी थी।

'पतित तो हूँ पर तुम्हें अपनी वाणी पर शिष्टता का प्रतिबंध लगाना चाहिए। जानते हो, अभी तुम मेरे गृह में हो।'

'तभी मैं शांत हूँ अन्यथा अब तक...?' मनु ने दाँतों से अपने निचले होंठ को काट लिया।

वासवदत्ता क्रोध के मारे चीख पड़ी—'मनु!'

'.....।'—मनु दुर्वासा बना, द्वार की ओर बढ़ा।

उसके जाते ही वासवदत्ता चंद क्षणों तक मौन रही। मौन क्या रही, रोष ने उसके उर के घुटते भावों को प्रकट नहीं होने दिया। वह अपलक बैठी रही।

चंद क्षण निरुद्देश्य व्यतीत हुए।

तब वासवदत्ता तप्त स्वर में बोली—'ऐसा व्यवहार करता है जैसे मेरा पति हो।'—तुरंत तिलोत्तमा को संबांधित करती हुई बोली—'तिलोत्तमा! दंडपांशुल से आज्ञा कर दो कि भविष्य में श्रीमंत मनु को भवन में प्रविष्ट न होने दिया जाए।'

'जो आज्ञा।'—तिलोत्तमा नत नयन-सी चली गई।

वासवदत्ता का चित्त उद्विग्न हो गया।

भवन की प्राचीरों में उसका मन घुटने लगा। वह प्रकोष्ठ में आकर खड़ी हो गई, अवसन्न-सी।

उसे रह-रहकर अपने पर पश्चात्ताप आ रहा था—'सर्व साधन-संपन्न मेरा जीवन दुःखी क्यों? उर्वरा वसुंधरा पर अर्ति की अर्णा का अवतरण क्यों?'

उसके प्रश्न का उत्तर उसके ही मन ने विहँसकर दे दिया—'तुम्हें संतोष कहाँ है? तुम तो असंतोष की अर्चिका हो।'

'हाँ! मैं असंतोष की,...तिलोत्तमा!'—झुँझला उठी वासवदत्ता अपने आप पर।

तिलोत्तमा शंकित दृष्टि से अपनी स्वामिनी को देखने लगी।

'सारथी से जाकर कहो कि शिविका तैयार करें।'

'आज्ञा।'—तिलोत्तमा चली गई।

तोरणद्वार पर रथ रुकने की आहट हुई। वासवदत्ता का ध्यान उस ओर आकर्षित हुआ ही था कि तिलोत्तमा ने आकर निवेदन किया—'एक अपरिचित प्रवासी व्यापारी

आए हैं।'

वासवदत्ता ने अरुचि से कहा—'जाओ, उनसे नम्र निवेदन कर दो कि आज हमारी स्वामिनी निरोग नहीं है अतः आपका मनोरंजन करने में सर्वथा असमर्थ है।'

तिलोत्तमा जाने लगी, वासवदत्ता ने उसे तुरंत रोकते हुए कहा—'उन्हें जाकर कहो कि मेरी स्वामिनी जल-विहार करने जाएगी, यदि आप जल-विहार का आनंद लेना चाहते हैं तो ससम्मान चल सकते हैं।'

तिलोत्तमा ने जाकर तुरंत लौटकर कहा—'उन्हें स्वीकार है!'

रथ में आगंतुक व्यापारी के पार्श्व में वासवदत्ता बैठी थी।

यह प्रवासी भी कोई लक्षाधीश ही था।

आभूषणों से युक्त ग्रीवा और भुजा तथा हीरकजड़ित ध्रुव तारे की सदृश प्रकाशमान मुद्राएँ।

नगर प्रवेश करते समय जब मित्र-मंडल में प्रवासी के समक्ष आमोद-प्रमोद का प्रश्न उठा तो सबने एक स्वर में वासवदत्ता के रूप-गुण की प्रशंसा की थी। रूप-गुण की प्रशंसा के साथ यह भी कहा गया था—'उस पर विजय पाना सहज कार्य नहीं!'

इस पर आगंतुक व्यक्ति ने उस कामिनी पर मन-ही-मन विजय पाने की प्रतिज्ञा की थी।

पर वासवदत्ता?

उसने तो अब निर्णय कर लिया था—जीवन का महान् समर्पण का अधिकारी राहुल के उपरांत उपगुप्त ही हो सकता है, संन्यासी उपगुप्त।

वह उपगुप्त की अंकशायिनी बनना चाहती थी।

अंतर के विशाल तट पर उपगुप्त की सलोनी छवि चित्रित हो चुकी थी।

भिक्षु ने उसके जीवन में एक प्रश्न उठा दिया था। वह प्रश्न भिक्षु के दिव्यानन की भाँति दिव्य था, दुर्जेय था। संन्यासी को स्मरण करती-करती सुंदरी अस्फुट बड़बड़ा उठती थी। प्रतारिका-सी अवसाद के हिचकोले खा रही थी—रथ में।

आगंतुक व्यापारी उसके चिंतातुर मुख को देखते-देखते ऊब गया था।

रथ अब भी द्रुतगति से चल रहा था।

वृषभों की ग्रीवाओं में बँधी घंटियाँ अब भी मधुर ध्वनि कर रही थीं।

एकाएक सामने अत्यंत सज्जित अन्य रथ आता हुआ दृष्टिगोचर हुआ। रथ वासवदत्ता का परिचित था तो भी वासवदत्ता ने उस रथ की कृत्रिम उपेक्षा कर दी।

अन्य रथ जब अत्यंत निकट आ गया तो आज्ञाभरी वाणी सुनाई पड़ी—'रथ रोको।'

वाणी मनु की थी।

प्रवासी के सारथी ने रथ रोक दिया।

प्रवासी इस अभद्रता को सह नहीं सका। गरज पड़ा—'रथ हाँको, यह कोई

नगरपति की आज्ञा नहीं है।'

'हाँ, हाँ! रथ हाँको!'—वासवदत्ता ने भी कहा।

'छलनामयी! जीवन के अंत को ज़ानती हो?'

'भलीभाँति, जीवन का अंत है मृत्यु, केवल मृत्यु!'

'कौन-सी मृत्यु?...दानव की या मानव की?'

'कैसी भी हो, पर जीवन का अंत मृत्यु है, इतना मैं जानती हूँ।'

मनु गंभीर उत्तर सुनकर चुप हो गया।

सारथी ने वासवदत्ता की आज्ञा सुनकर रथ हाँकना चाहा कि मनु बोला—'इस संसार में लहरों का कोई अस्तित्व नहीं, तुम भी तो एक लहर की भाँति हो, भला तुम्हारा क्या अस्तित्व हो सकता है?'

'लहरें कूल के प्रस्तर को काट-काटकर अस्तित्वहीन कर देती हैं।'

'लेकिन उस अस्तित्व के चिह्न अमिट होते हैं।'

'आमूल-चूल परिवर्तन चिह्नों तक को मिटा देते हैं, तब कूल के स्थान पर केवल लोल लहरें नर्तन करती दिखाई देती हैं।'

मनु जल उठा।

वह कुछ बोलने के लिए उद्यत हुआ ही था कि वासवदत्ता का रथ आगे बढ़ गया। प्रवासी व्यापारी इस नाटक को नहीं समझ सका। वासवदत्ता के रौद्र रूप को देखकर बस नितांत निरुत्तर रहा और उसने मन-ही-मन निश्चय कर लिया कि यह सुंदरी असाधारण है।

अब रथ सरिता-कूल पर था।

वासवदत्ता को प्रवासी व्यापारी ने कर से संबल देकर रथ से उतारा।

हँस पीठिका तरणी लोल लहरों पर मंथर गति से लास कर रही थी। नाविक डांड खे रहे थे। प्रवासी व्यापारी अपना समस्त व्यक्तित्व विस्मृत करके अबोध शिशु-सा बैठा था—वासवदत्ता के सम्मुख।

कभी-कभी वह दृष्टि से वासवदत्ता को घूरता भी था।

तरणि सरिता के मध्य में थी।

वासवदत्ता वीणा के तारों को अपनी मृदुल अँगुलियों से झंकृत करती-करती जब रुक गई तब प्रवासी की प्रसन्नता नयनों में दीप्त होती-होती रुक गई।

एकांत, निस्तब्धता, नारी तन की मादक सुगंध, हल्का-हल्का स्पर्श।

उसने विनीत होकर कहा—'देवी! निस्पंद क्षण व्यतीत नहीं किए जाते!'

वीणा विनिंदित कंठ भंगिमा से उत्तर दिया वासवदत्ता ने—'सच! मैं भी सोच रही हूँ कि कुछ करूँ।...क्यों श्रेष्ठिवर! यदि संगीत के मधुर स्वरों से इस वातावरण में उस प्रमाद और उन्माद का समावेश कर दूँ जो समस्त चिंताओं का हरण कर सकता है तो उसमें आपको कोई आपत्ति है?' प्रश्न सुंदर था।

'नहीं तो, मैं भी तो इसीलिए आया हूँ देवि! संगीत संकटमोचन कहलाता है। मन के संतोष को हरण करने की शक्ति उसमें रहती ही है। इसे मैं और तुम भलीभाँति जानते हैं।...अब तुम वीणावादन करो...वातावरण भी हमारा साथ दे रहा है।'

वासवदत्ता वीणा के तारों पर अपनी अँगुलियाँ धावित करने लगी।

निशि-क्षणों में संगीत की कोमलकांत स्वर-लहरी अनंत को ध्वनित करने लगी और प्रवासी विस्मय मुग्ध-सा उसे निहारता रहा। पर आज स्वर सदैव की अपेक्षा परिवर्तित था।

प्रवासी ने वीणा के निर्जीव तारों में ऐसी मर्मांतक वेदना सजीव रूप में नहीं सुनी थी। वह आत्म-विभोर-सा उसे देखता रहा, संगीत का रसास्वादन करता रहा।

तरणि अब भी मंथर गति से चल रही थी।

वीणा की गति का संचालन बढ़ता ही गया, बढ़ता ही गया।

प्रवासी का आनंद भी उसी प्रकार बढ़ता गया।

'झन...!'—के साथ वीणा के तार टूट गए।

ऐसा विदित हुआ प्रवासी को जैसे सुख स्वप्न पर अप्रत्याशित आघात लगा हो। उसके चेहरे पर भय की रेखाएँ दौड़ गईं—'अब क्या होगा?'

प्रवासी को इतना व्याकुल देखकर वासवदत्ता विहँस पड़ी—'होगा क्या अब?'

'तार जो टूट गए हैं?'—प्रवासी का हाथ टूटे हुए तारों की ओर था।

'पुनः बना लिए जाएँगे।'

'सुंदरी! ऐसी मधुर वीणा मैंने आज तक नहीं सुनी।...ऐसी निपुणता तुमने कैसे और किसके द्वारा पाई, बताओगी मुझे?'

'वह बड़ा ही अन्यायी और निष्ठुर है।'

'निष्ठुर की ऐसी मृदुल देन! आश्चर्य है सुंदरी!'

'केवल निष्ठुर नहीं, पापी भी है, दस्यु भी है, भला भी है।'

'ऐसा विचित्र कौन है?'

'पेट!'

'पेट!'—प्रवासी के नेत्र विस्फारित हो गए। विस्मय हठात् नयनों से बोल उठा।

'यह पेट न होता तो मैं वीणा की निपुण वादिनी वारंगना नहीं होती।...सच कहूँ तो यह पेट नहीं होता तो सृष्टि में कोई समस्या ही नहीं होती। यह लघु पेट कितने भयानक अपराध कराता है, अनुमान लगाना दूभर है।'

तरणि अब भी चपल-चंचल वीचियों पर किलोलें कर रही थी।

इसी प्रकार की वार्त्तालाप में दोनों निमग्न थे।

वासवदत्ता की दृष्टि प्रवासी की उस मुद्रा पर पड़ी, जिस पर स्वर्णकार की कला बोलती थी। मुद्रा को लालसाभरी दृष्टि से देखती हुई वह प्रवासी के सन्निकट आई। उसका हाथ उसने अपने कर में लिया—'श्रेष्ठिवर! यह मुद्रा आपने कब बनाई?'

प्रवासी उसकी मनसा को भाँप गया—'क्यों, तुम्हें पसंद है?'

'जी नहीं, किंतु इसकी निर्माण-कला वास्तव में अद्‌भुत है?'

'हमारे नगर के नितांत निपुण-निर्वाचित स्वर्णकार का यह कौशल है।'

'ओह!'—वासवदत्ता आश्वस्त होती हुई बोली—'तभी यह मुद्रा प्रत्येक का ध्यान अपनी ओर आकर्षित कर लेती है?...इसके निर्माण का क्या अर्थ दिया?'

'अर्थ! सुंदरी वह स्वर्णकार तो मेरा मित्र है।'

'वह आपका मित्र है, तभी तो उसने इतनी उत्कृष्ट वस्तु का निर्माण किया है।'

'मुझे तो पूर्ण विश्वास हो गया है कि यह मुद्रा तुम्हें पसंद है।'

'नहीं...नहीं।'

'मिथ्या बोलती हो?'

'पसंद हो भी तो क्या? आप अपने मित्र की भेंट मुझे थोड़े ही दे देंगे?'—वासवदत्ता ने उसकी भावना पर प्रहार किया।

'मैं ऐसी एक नहीं, दस बनवा सकता हूँ, यदि तुम्हें पसंद हो तो ले लो।'—वह मुद्रा अँगुली से उतारने के लिए तत्पर हुआ।

'इस तुच्छ पर इतनी कृपा...?'

'इसमें कृपा की क्या बात? लो, इस मुद्रा को पहन लो। यह तुम्हें अत्यंत भली लगेगी, लो पहनो न?'—कहकर प्रवासी ने वासवदत्ता के कर में मुद्रा पहना दी।

मुद्रा पहनकर एक पल के लिए सुंदरी ने अपनी अँगुली को मोहदृष्टि से निहारा।

प्रवासी उसे मुग्ध-सा देखता रहा कि कूल के समीप के अरण्य में गगन-भेदी गर्जना हुई—वनराज की। प्रवासी और वासवदत्ता दोनों काँप उठे।

तरणि तुरंत कूल की ओर अग्रसर हुई। दोनों भयभीत थे, शंकित थे।

कँपाने वाली गर्जना पुनः हुई। तरणि कूल पर पहुँच गई।

वासवदत्ता ने उस ओर ध्यान से दृष्टिपात किया।

धुँधले प्रकाश में उसने देखा और देखकर चिंघाड़ उठी—'भिक्षु! भिक्षु!! बचो सिंह! सिंह!!'

वासवदत्ता बेसुध-सी भिक्षु की ओर लपकी। देखा—आक्रमणकारी सिंह धराशायी हो गया है। उसके एक अत्यंत घातक बाण लगा है।

लेकिन भिक्षु उपगुप्त का चेहरा निर्द्वंद्व था। भावशून्य था। लपककर वे सिंह के समीप गए और उसे थपथपाकर धैर्य दिया। धैर्य देकर बाण को निकाला। प्रहार इतना घातक नहीं था जितना समझा गया था। तो भी रक्त प्रवाहित होने लग गया था।

भिक्षु ने तुरंत अपना काषाय वस्त्र चीर करके सिंह के प्रहार पर बाँधा। सिंह उठकर पालतू पशु की भाँति वन की ओर चला गया।

वासवदत्ता तुरंत भिक्षु के समीप पहुँची। आकुलता से बोली—'यह आपने क्या किया? कहीं हिंस्र पशु आपका भक्षण कर लेता तो?'

तभी आखेटी भी आ गया था। आखेटी के नयनों में रोष था। वह घायल भी था। सिंह को न पाकर वह खड़ा रहा।

भिक्षु का स्वर शांत था, मुद्रा भी शांत थी—'भद्रे! भगवान बुद्ध की कृपा प्राप्त करने के पश्चात् प्राणी को मृत्यु का भय नहीं रहता क्योंकि मृत्यु का पल निश्चित है।...इस पर प्रत्येक जीवमात्र की रक्षा करना हमारा धर्म है।'

'साँप को दुग्धपान कराने से क्या वह अपने स्वभाव का त्याग कर देगा?'—वासवदत्ता ने पूछा।

'क्यों नहीं; मनुष्य में आत्मबल होना चाहिए फिर वह जैसा चाहे, वैसा कर सकता है। भगवान शिव सर्पों के संग रहते हैं न!'

'लेकिन जान-बूझकर प्राणों का होम करना भी तो साधुता नहीं है।'

'साधुता के लक्षण और उनकी साधनाजनित प्रवृत्तियों को तुम क्या जानो? कनक की चमक में लीन प्राणों को मन की सच्चाई का ज्ञान कम रहता है। विश्व के प्रांगण में अहिंसा और दया ही ऐसी वस्तुएँ हैं, जिनसे मनुष्यमात्र का कल्याण संभव है। आखेटी व्याघ्र पर प्रहार नहीं करता तो क्या व्याघ्र उस पर झपटता? नहीं, कदापि नहीं। आखेटी ने उसका प्राण लेना चाहा, तो उसने उसका प्राण लेने का प्रयास किया। ज्ञानी हिंसा नहीं करता, वह हिंसा का विनियम भी अहिंसा से करता है। इसलिए प्राणीमात्र को दया करना चाहिए ताकि वह निर्वाण पद प्राप्त करके जन्म-जन्मांतर से मुक्त हो।'—कहते-कहते भिक्षु के नेत्र बंद हो गए।

आखेटी ने बढ़कर भिक्षु के चरण-स्पर्श कर लिए। भिक्षु ने उसे आशीर्वाद दिया—'कल्याण हो। हिंसा को त्यागो। दया करो।'

'मैं भविष्य में कभी भी हिंसा नहीं करूँगा। मैं जान गया हूँ कि जीवन में यदि सर्वश्रेष्ठ वस्तु है तो दया और अहिंसा।'—आखेटी ने भिक्षु की पगधूली को मस्तक पर लगाया और वन के पूर्वांचल की ओर चला गया।

भिक्षु ने नितांत संयत स्वर में कहा—'तुमने उसे मारना चाहा तो उसने तुम्हें मारने की चेष्टा की। मैंने उस पर दया की तो उसने मुझ पर दया की!'

वासवदत्ता ने उसकी प्रतिज्ञा को स्मरण दिलाते हुए कहा—'भिक्षु! आपको अपनी प्रतिज्ञा स्मरण होगी? आपने कहा था—मैं एक वर्ष बाद आऊँगा,...देखो! वर्ष व्यतीत होने के संग-संग आज कितना स्वस्थ वातावरण है?'—वासवदत्ता अपनी अत्युत्तम मुद्रा में खड़ी हो गई।

भिक्षु ने मन-ही-मन स्मरण किया :

दुन्निग्गहस्स लहुनो यत्थ कामिनी पातिनो
चितस्य दम थो साधु चित्तं दन्तं सुखावह*

---

* (जो) कठिनाई से निग्रह योग्य, शीघ्रगामी, जहाँ चाहता है, वहाँ चलने वाला है। (ऐसे) चित्त का दमन करना उत्तम है; दमन किया चित्त सुखप्रद होता है।

भिक्षु ने नेत्र मूँद करके तथागत के दर्शन किए। मन को परम शांति मिल गई। कहा—'वातावरण अपनी नियत परिधि में प्रत्यावर्त्तन करता रहता है। इसके लिए सुख-दुःख करना व्यर्थ है।'

'नहीं भिक्षु! जो क्षण व्यतीत होता जाता है, वह पुनः नहीं लौटता! और ये क्षण कितने सुंदर हैं!'

'क्षण इससे भी सुंदर आ सकते हैं?'

'लेकिन आपने जो प्रतिज्ञा की थी?'

'उस प्रतिज्ञा में अभी एक पक्ष की अबेर है।'

'तो तुम्हें कल मेरे घर पुनः आतिथ्य स्वीकार करना पड़ेगा?'

'अवश्य।'

'कब?'

'वही प्रभात-वेला।'

'सच?'

'...।'—इसका उत्तर दिए बिना ही उपगुप्त चला गया।

रह गई थी एकाकी वासवदत्ता। उसका नूतन अतिथि प्रवासी।

प्रवासी इतने काल तक कुछ नहीं समझा। देखता रहा वासवदत्ता और भिक्षु को। उसने उन दोनों की वार्ता को समझने का प्रयास भी किया था, पर समझने में वह असमर्थ-सा रहा।

वासवदत्ता उससे रुष्ट न हो जाए, यही विचार करके प्रवासी ने शंकित स्वर में पूछा—'यह भिक्षु कौन था?'

'....।' वासवदत्ता मौन रही।

'सुंदरी! वह साधारण भिक्षु कौन था, जिसके समक्ष तुम प्रणय-चर्चा कर रही थीं?'

'वह साधारण भिक्षु था?...किस रूप में? रूप-गुण-बुद्धि का तो लक्षाधीश है। ...श्रेष्ठिवर! यह आचार्य उपगुप्त हैं, जो मृत्यु जैसी भयानक वस्तु से भी भय नहीं खाते।'—वासवदत्ता की आँखें चमक गईं।

'सुंदरी! तुम बड़ी विचित्र हो, संन्यासियों-साधुओं के लिए तुम्हारे हृदय में अपनत्व है, ऐसा क्यों?'

वासवदत्ता मौन रही। प्रवासी श्रेष्ठिवर प्रसंग बदलने के हेतु बोला—'सुंदरी! एक अनुपम नृत्य दिखा दो। पारितोषिक पूर्व प्रदान कर देता हूँ।...लो यह पुखराज।'—कहकर प्रवासी ने पुखराज उसे भेंट कर दिया।

वासवदत्ता ने एक क्षण तक उस पुखराज को देखा फिर उसे सरिता के अथाह जल में फेंक दिया।

प्रवासी रोकता-रोकता रह गया। जो वह कहना चाहता था वह कह न सका।

वह कहना चाहता था—'यह तुमने क्या किया सुंदरी?'

और सुंदरी?

वह तो खिलखिलाकर हँस रही थी, हँसती जा रही थी।

हँसते-हँसते उसके नयनों में जल भर आया था।

20

आज तिमिराच्छन्न रात्रि वेला में उपगुप्त का चित्त उद्विग्न-पर-उद्विग्न होता जा रहा था।

उसके मस्तिष्क में भाँति-भाँति की शंकाएँ धूम्र सदृश उठ-उठकर लुप्त हो रही थीं।

क्योंकि संघों में नारी प्रवेश मान्य था। भिक्षुणियाँ तथागत के चरणों में अपना जीवन-यौवन समर्पण करती जा रही थीं। लेकिन आज वह इस समस्या का गंभीरता से विश्लेषण करना चाहता था।

उन्होंने मन-ही-मन सोचा—'संघ में नारी प्रवेश धर्मोत्थान के लिए श्रेयस्कर नहीं हो सकता।'

उनके अपने मन ने कहा—'यह महाप्रभु ने श्री आनंद के अनुरोध पर औचित्य नहीं किया क्योंकि जो नारी किसी भिक्षु पर आसक्त होकर, उसे अप्राप्य समझकर, प्रव्रज्या लेगी और संघ में प्रविष्ट करेगी, वह अवश्य ही भ्रष्टाचार का विस्तार करेगी।'

इन्हीं विचारों में उलझे आचार्य उपगुप्त स्थिर होकर बैठ गए। उनका हृदय पीड़ित था।

निशीथ के निविड़ क्षण।

क्षणों की मंथर गति।

विचारों का संघर्ष और संघर्ष से जो मंथन होकर नवनीत निकल रहा था, उसी नवनीत को आचार्य उपगुप्त बड़ी सावधानी से एकत्रित कर रहे थे। उन्होंने निर्णय किया कि वह धर्म संघ में जाकर महास्थिवर से प्रार्थना करेंगे कि संघ में नारी प्रवेश की एक कठोर मर्यादा बना दी जाए अन्यथा काल के गर्भ में निहित भयानक दावानल महाप्राण के महामंत्र का विनाश कर देगा। संघों में ये तथाकथित भिक्षुणियाँ शील और संयम के स्थान पर अनाचार और व्यभिचार का विस्तार करेंगी।

तब विरोधी धर्मावलंबियों से संघर्ष होगा।

महाप्रभु के त्रिरत्नों पर से लोगों का विश्वास उठ जाएगा।

धर्म में महान् परिवर्तन की आशंका उठ जाएगी।

लोगों को सादगी के स्थान पर वैभव, त्याग के स्थान पर मोह, धर्म के स्थान

पर पाप दृष्टिगोचर होगा।

तब महान् क्रांति का आह्वान होगा।

क्रांति के साथ नवीन धर्मचक्र का प्रवर्तन होगा।

भिक्षु उपगुप्त भावावेश के कारण शिथिल हो गए।

उनके सूर्यमुख पर परिताप भरे स्वेदकण उभर आए। भविष्य के गर्भ में क्या निहित है, उसका धुँधला आभास धुंध-सा उनके नेत्रों के सम्मुख नर्तन करने लगा।

अभिशप्त उपगुप्त नेत्रोन्मीलन करके धरती पर सो गए। उन्हें जाग्रत स्वप्न आने लगे।

अविकसित कमलिनी की सदृश उनकी बंद पलकें वासवदत्ता के चतुर्दिक चक्कर काटने लगीं—चम्पे-सा मुग्ध यौवन, अधरों पर तांबुल की रक्ताभ। बिंदी शोभित भाल पर उत्तेजना और आवेश के झलके हुए स्वेदकण। गर्वित सौंदर्य। वासना की साक्षात् प्रतिमा!

रूप की ज्वलित शिखा!

चौंककर उठ गए आचार्य गुप्त। अपने चारों ओर दृष्टिपात किया—घोर अंधकार के सिवाय कुछ भी दृष्टिपात नहीं हो रहा है।

उन्हें भान होने लगा कि वासवदत्ता वासना व इंद्रियों का दमन किए बिना भिक्षुणी बन गई है और एक नवदीक्षित भिक्षु पर आसक्त हो गई है। भिक्षु अपने पथ पर अडिग है। धीरे-धीरे वासवदत्ता उसे पतनोन्मुख करती रहती है।

अंत में सदैव का सामीप्य उस भिक्षु को चंचल बना देता है।

दमन किए मन के विकार उच्छृंखल होने लगते हैं।

उपगुप्त को उस भिक्षु पर क्षोभ आने लगता है। वह उसे चेतावनी देता है—'श्रमण! श्रमण!! रुको, भावनाओं में इतना न बहो कि तुम्हारी निर्वाण की साधना भंग हो जाए...नारी साधु की महान् दुर्बलता है। उस दुर्बलता पर अधिकार करो वर्ना तुम्हारे निर्वाण प्राप्ति के अष्टांग साधन भंग हो जाएँगे।...तुम्हें तो सद्ज्ञान, सद्संकल्प, सद्वाणी, सद्कर्म, सद्जीविका, सद्चित्तावस्था की ओर प्रवृत्त होना चाहिए और तुम्हारा मन तो एक अभिनव अभिशाप की ओर उन्मुख हो रहा है। सँभलो, श्रमण सँभलो।'

'पर वह भिक्षु उससे लुक-छुप करके अभिसार करता रहता है।'

'अभिसार अंत में पतन बन जाता है।'

'तब...?'

'नहीं!'—आचार्य उपगुप्त गरज पड़े—'मैं महास्थिवर से प्रार्थना करूँगा ही।'

उपगुप्त के नेत्र इस बार ऐसे खुले जैसे एक नहीं सहस्र उल्काओं का प्रकाश उनमें जगमगा उठा।

जैसे भगवान बुद्ध की कृपा ने इस भक्त को इस पापावृत से मुक्त होने का संबल दे दिया है।

वह उठे।

निविड़-शून्यता में चहल-पहल करने लगे।

शून्यता में पद-चाप स्पष्ट सुनाई पड़ रही थी।

विचारों का संघर्ष अब भी उनके मस्तिष्क में चल रहा था। अंत में उन्होंने निर्णय किया–'मैं वासवदत्ता के यहाँ अवश्य ही जाऊँगा। महाप्राण अमिताभ का सच्चा भक्त हूँ, अशैक्ष हूँ तो अपने आत्मबल से उस प्रवंचनामयी छलना के वासना भरे हृदय में विरक्ति की भावना को उत्पन्न करूँगा, उसके विलासी हृदय को विभुता-विमुख करूँगा?'

इतना विचारते-विचारते उपगुप्त जड़वत् हो गए।

निर्णय भयंकर था, तो उसकी सफलता प्राप्त होनी भी उतनी ही भयंकर थी।

अनुरक्ति और विरक्ति की स्पर्धा थी।

कौन विजयी होगा, कोई नहीं जानता था?

दोनों महाबली थे।

एक थी सुंदरी–

और एक था संन्यासी।

उपगुप्त चलने को उद्यत हुए।

उन्होंने सर्वप्रथम उस गहरी शून्यता में महाप्राण की महाभ्यर्थना की।

धीरे-धीरे डग उठाते लता-कुंज की ओर बढ़े।

हौले-हौले सुनाई पड़ रहा था–

बुद्धं सरणं गच्छामि
धम्मं सरणं गच्छामि
सघं सरणं गच्छाभि

भिक्षु घने वन की शून्यता में अलोप हो गया।

21

हेमंत-प्रभात में चंचल गात्री वासवदत्ता नववधू-सी अलिंद में आत्मविभोर हुई खड़ी थी।

आज उसने निर्णय कर लिया था कि संन्यासी लाख भी मना करे, पर वह नर्तन करेगी।

नृत्य!

ऐसा नृत्य जो अपनी अद्भुत कला द्वारा आचार्य उपगुप्त के हृदय में जब मोह का प्रादुर्भाव करेगा तब मैं उस नृत्य को अपने जीवन का सफल नृत्य मानूँगी।

केवल सफल ही नहीं, यह नृत्य मेरे जीवन का अंतिम सार्वजनिक नृत्य होगा।

वासवदत्ता के विचार और गंभीर हो गए—'राग और विराग के संताप पर संयम का शिला-खंड भग्न करके मैं राग का ज्वार उत्पन्न करना चाहती हूँ। इस विलास और उल्लास के असीमित सागर में संन्यासी को डुबाना चाहती हूँ।'

'और यदि मैं...?'

'हाँ, यदि मैं पराजित हो गई तो इन समस्त कला-निधियों को अगस्त्य मुनि की भाँति पान कर डालूँगी। तत्पश्चात् इस हृदय में उस निर्लेप की उपासना का प्रदीप प्रज्वलित करूँगी जो मेरी पराजय की पवित्र प्रतिक्रिया होगी।'

इस प्रकार वह दृढ़ निश्चय करके शृंगार-कक्ष में आई और वहाँ के समस्त दर्पणों में अपने को दर्प से देखा। स्वर्ण-आभूषणों से सज्जित वह ऐसी लग रही थी जैसे स्वर्ण-पात्रों के मध्य झिलमिलाती दीप-शिखा।

आज भवन की स्वच्छता भी विशेष रूप से कराई गई थी।

तोरणद्वार, गर्भद्वार, अलिंद, प्रकोष्ठ, गवाक्ष सज्जा की पराकाष्ठा को पहुँच गए थे।

चंपक, कमल, जुही के पुष्पों से भवन महक रहा था।

दंडपांशुल प्रहरी और परिचारिकाएँ नूतन वस्त्र धारण किए अपने-अपने कार्य में तत्पर दीख रहे थे। उनके आननों पर उषा की भाँति सुखद उन्मेष छाया हुआ था।

दंडपांशुल ने शीघ्रता से आकर संवाद सुनाया—'आचार्य उपगुप्त पधार रहे हैं?'

वासवदत्ता चंचल हो उठी।

भिक्षु के स्वागत हेतु वह कुछ देर अपनी चेतना को विस्मृत करके यत्र-तत्र धावित होने लगी।

जब भिक्षु ने तोरणद्वार पर अपना चरण रखा तब वासवदत्ता के युग्म कर भिक्षु के चरणों पर थे।

भिक्षु ने आशीर्वाद दिया—'कल्याण हो?'

भिक्षु का महास्वागत हुआ।

प्रसाद ग्रहण करने के उपरांत केलि-भवन में भिक्षु के लिए चंदन की वेदी रखी हुई थी, फिर भी आसन ग्रहण किया भिक्षु ने पत्थर पर ही।

वासवदत्ता ने अपनी परिचारिकाओं को संबोधित करते हुए कहा—'एकांत!'

सब परिचारिकाएँ चली गईं।

भवन में शांति छा गई।

भिक्षु ने प्रश्नभरी दृष्टि से वासवदत्ता को देखा।

वासवदत्ता मुस्करा पड़ी।

भिक्षु आश्वस्त होता हुआ बोला—'भद्रे! तुम्हारी साधना की भावना पवित्र नहीं

है। जैसी भावना वैसा फल।'

'मेरी जैसी भावना होगी, क्या मुझे वैसा ही फल मिलेगा?'

'क्यों नहीं, यह चिरंतन सत्य है?'

'मेरी भावना किसी को प्राप्त करने की हो तो?'

'वह भी तुम्हें मिलेगा।'

'सच?'

'हाँ?'

'तो मैं तुम्हें प्राप्त करना चाहती हूँ।'—वासवदत्ता ने तुरंत कहा।

'क्यों नहीं, साध्य को यदि तुम्हारी साधना पसंद आई तो?'

'क्या मेरी साधना तुम्हें पसंद नहीं है?'

'....।' भिक्षु ने 'न' के संकेत में सिर हिलाया।

'क्यों?'—आघात लगा हो वासवदत्ता को। वह चौंक पड़ी।

'क्योंकि मैं नारी में उत्थान और पतन दोनों पाता हूँ। यदि वह शील, संयम और सदाचार से चले तो जगत-कल्याण कर सकती है।'—कथन गंभीर था।

'आप तो मुझे सदैव वात्याचक्र में उलझाने की चेष्टा करते हैं और मैं स्पष्ट शब्दों में कहती हूँ कि मैं बिना प्रेम किसी भी साधना, उपासना, आराधना को सफल नहीं मानती। भिक्षु! मुझे प्रेम चाहिए, प्रेम!'

'मैं तुम्हें प्रेम दूँगा!'

'तुम मुझे प्रेम दोगे?'—रोम-रोम बोल उठा वासवदत्ता का।

'हाँ, मैं तुम्हें प्रेम दूँगा, निश्चय प्रेम दूँगा।'

'तो लो यह आँचल विस्तृत है।'

'प्रेम के लिए यह स्थान उचित नहीं।'

'भिक्षु!'—कहकर वासवदत्ता उसके सन्निकट आ गई।

'तुम मुझे प्रेम प्रदान करोगे?'—वासवदत्ता के संयम का बाँध टूट गया। वह अनर्गल प्रलाप करने लगी—'भिक्षु! मुझे कुछ नहीं चाहिए, केवल तुम्हारा प्रेम चाहिए। तुम्हारे प्रेम-प्रसून का प्रसाद जब इस तुच्छ को प्राप्त हो जाएगा तब वह तुम पर अपना सर्वस्व विसर्जन कर देगी...प्राण भी।'

'मैंने कहा न, कि प्रेम प्राप्त करने का यथेष्ट स्थान भी तो होना चाहिए। वह तुम्हारे पास कहाँ है?'

'कैसे नहीं है!'—रूप-माधुरी चौंक पड़ी—'वह स्थान है मेरा यह हृदय।'

'और हृदय में प्रेम है ही नहीं, वहाँ है वासना? विपुल वासना! पतनोन्मुखी तृष्णाएँ।'

'भिक्षु!'—वासवदत्ता ने रोषभरी दृष्टि से भिक्षु की ओर निहारा।

'जा रहा हूँ देवी।'—भिक्षु खड़ा हो गया।

उसे रोकते हुए वासवदत्ता करुणा से बोली—'क्षमा कर दो भिक्षु! मैंने दंभ में प्रेम की महत्ता को विस्मृत कर दिया था, इतने दिन तक समस्या को ही जीवन की सफलता, अमोघ शस्त्र मानती रही। लेकिन वह मिट्टी के पर्वत की भाँति खंडित हो रहा है। अब मैं प्रेम चाहती हूँ। केवल एक व्यक्ति की प्रेम-पात्र बनकर शेष जीवनयापन करना है मुझे।'—वह अवश-सी भिक्षु से सटकर खड़ी हो गई।

भिक्षु ने शांत भाव से कहा—'प्रेमी बनने के पूर्व त्यागी बनना सीखो। देवी! प्यार रोष भी नहीं करता और वासना अपराध करा देती है। जब तक तुम त्याग करना न सीख जाओगी तब तक तुम सफल प्रेमी नहीं बन सकतीं।'

'मैं सर्वस्व त्यागने को तत्पर हूँ।'

'शीघ्रता भी वासना का एक भाव है। त्याग की उत्पत्ति चिंतन से होती है देवी।...और यौवनमत्त प्राणी चिंतन को किंचित महत्त्व देता है।'

'यह तुम कैसे कह सकते हो भिक्षु?'

आचार्य उपगुप्त जड़वत् रहे।

उनके अधर किसी की अभ्यर्थना में निमग्न थे।

पाप के इस घोर संघर्षण-विघर्षण में अपने आपको अस्पृश्य रखने हेतु।

भिक्षु के नेत्र बंद थे।

अधर फड़क रहे थे।

तन शून्य था।

मन समाधिस्थ-सा था।

भिक्षु ने नेत्र खोल दिए।

वासवदत्ता प्रसन्नता से विहँस पड़ी—'भिक्षु मेरी इतनी उपेक्षा क्यों कर रहे हो?'

'मैं प्रत्येक प्राणी को प्यार करता हूँ, तुम्हें भी।'

'यह तुम कहते अवश्य हो, लेकिन करते नहीं?'

'मैं प्रेम करता हूँ।...वासवदत्ता! तुम प्रणय की महानता से अपरिचित हो। प्रणय का सच्चा रूप-इंद्रियों के दमन के पश्चात् ही विदित होता है। मैं स्वयं मथुरा का श्रेष्ठिपुत्र रहा हूँ। वैभव की निरर्थकता को त्याग कर ही मैं मोक्ष-पथ पर आया हूँ।'

फिर तथागत के उपदेश उनके मन-मंदिर में गूँज उठे—'तरुण युवती भगिनी सदृश होती है। उसे प्रत्येक श्रमण को उसी दृष्टि से देखना चाहिए। यदि वह मन में तनिक भी कलुषित विचार लाता है तो वह अपराधी है।'

तब अनात्मवादी ने मन-ही-मन पढ़ा—'परित्राण-धर्मदेशना।'

और जैसे उनकी चेतना लौट आई हो, वैसे सजग होकर वे वासवदत्ता को मर्मभेदी दृष्टि से निहारने लगे। अब उसके दिव्य चक्षुओं को वासवदत्ता के उत्तेजित रूप में सात्विक रूप के दर्शन हुए।

वे मन-ही-मन कह उठे—'यह तो मेरी भगिनी है, भोली-भाली... ।' सोचते-सोचते भिक्षु ने अपना आशीर्वाद देने के लिए अपना हाथ उसके सिर पर रख दिया।

इस बार वासवदत्ता भी विस्मयविमूढ़ हो गई।

वासना के उद्दाम के कारण पतन के भँवर में थपेड़े खाता हुआ सुंदरी का मन पलभर के लिए स्पंदनहीन हो गया।

और संन्यासी सोच रहा था कि इस पथ विस्मृता को परमार्थ के पथ पर कैसे लाऊँ?

भिक्षुक ने कहा—'महाप्रभु तथागत का ध्यान करो। वे तुम्हें सच्चा प्रेम देंगे।'

'... ।'—वासवदत्ता मौन रही। उसने देखा कि भिक्षु के तारुण्य-संपन्न आनन पर वृद्ध का भोलापन क्रीड़ा कर रहा है।...मैं उसके समक्ष एक नन्ही शिशु-सी लगती हूँ, नितांत छोटी।

'अच्छा, अब मैं चलता हूँ।' भिक्षु चलने को उद्यत हुआ।

'और मेरी प्रेम पिपासा?'

'पूर्ण होगी।'

'कब?'

'समय पर।'

'वह समय कब आएगा?'

आचार्य उपगुप्त कुछ क्षण समाधिस्थ रहे जैसे वे किसी भावी बात का पता लगा रहे हों, फिर किंचित उदास स्वर में बोले—'एक पक्ष के पश्चात्।'

वे त्रिरत्न उच्चारित करते हुए चल पड़े।

22

प्रातः समीरण के शीतल झोंके वातायन से आ-जा रहे थे।

गृहलक्ष्मी के शयनकक्ष के दर्पण के सम्मुख खड़ी देविका अपने कुंतल को सँवार रही थी। सँवारते-सँवारते वह सोच रही थी—'गृह कलह से गृह का नाश संभव है। स्वामी का बाले के नयन-जाल में उलझकर स्वामिनी की उपेक्षा और दुर्व्यवहार एक-न-एक दिन इस गृह की भव्य प्राचीरों को धराशायी कर देगा, तब यह गौरवशाली कुटुंब प्रताड़ना का जीवनयापन करेगा।'

'बाले गृहलक्ष्मी की सेविका है लेकिन इन दिनों जो उसका व्यवहार-बर्ताव देखा जा रहा है, उससे स्पष्ट प्रतीत होता है कि बाले ही मनु की धर्म-पत्नी है, गृहलक्ष्मी तो एक दासी?'

'...और बाले! प्रतिशोध की आग में जलकर कितनी कटु, घृणित और पाषाणी

हो गई है?'

देविका को आश्चर्य होता था और कभी-कभी वह सोचती भी थी कि क्या यही वह बाले है जिसे मनु ने क्रय किया था? जो करुण थी, जो शांत थी, जो भोली थी, जो दयनीय भी। लेकिन वह तो...?

देविका सोचती जा रही थी। सोचती-सोचती वह बाहर चली गई।

और बाले?

विगत दिनों में उसने एक अभिशप्त जीवन ही व्यतीत किया था। मनु के संग उसका संबंध था जो था ही, उसने गुप्त रूप से एक दंडपांशुल से भी अपना संबंध जोड़ लिया था। जब मनु उसके कक्ष में नहीं आता था तब वह दंडपांशुल आता था। वह दंडपांशुल को हृदय से चाहती थी क्योंकि वह भी उसे अत्यंत चाहता था।

एक दिन मनु ने उन दोंनों की प्रेम-क्रीड़ा का अवलोकन कर लिया।

तब?

एक भयंकर समस्या उपस्थित हो गई थी। ऐसे भयभीत क्षण बाले के जीवन में नहीं आए थे। मृत्यु उसके चतुर्दिक चक्कर लगाने लगी थी। वह काँप रही थी।

और मनु?

उसकी आँखें कह रही थीं—'बाले! तुम्हारा अंत निश्चित है।'

तब मनु ने बाले को पदाघातों से अचेत कर दिया।

दंडपांशुल के वक्ष पर लोहे की तपी सलाखें चिपका दीं।

कितना करुण क्रंदन कर रहा था वह दंडपांशुल, लेकिन मनु को तनिक भी करुणा नहीं आई।

वह उसे पीटता गया, केवल पीटता गया।

बाले देखती रही। उसके नयनों से रक्त प्रवाहित हो रहा था।

जब मनु श्रांत हो गया तो उसने दो अन्य दंडपांशुलों को आज्ञा दी कि इसे इसी अवस्था में घोर वन में छोड़ आओ ताकि यह क्षुधा से आकुल मारा-मारा भटके और जलविहीन मीन की भाँति अपने प्राणों का त्याग करे।

उस दिन से आज तक बाले और मनु के मध्य पुनः द्वंद्व नहीं हुआ। दोनों अब प्रसन्न थे। बाले मनु को अपना तन देती थी और मनु उस तन के परिवर्तन में उसे अन्न दिया करता था।

धीरे-धीरे बाले मनु के मन की सम्राज्ञी बनने लगी। इसे गृहलक्ष्मी सह न सकी। दोनों में सदैव संघर्ष होने लगा। बाले अपने मन की समस्त शिष्टता और सभ्यता का त्याग कर चुकी थी। वह तो स्पष्ट कहा करती थी कि मैं क्या करूँ? मेरे स्वामी ने मुझे क्रय ही इसीलिए किया है कि मैं अपना सर्वस्व उनके चरणों में भेंट करूँ?

परिचारिकाओं पर वह अत्यंत कुढ़ती रहती थी। जो कोई उसकी तनिक भी उपेक्षा कर देती थी उसे वह पीट देती थी।

किंकरी की करुणा कृपण बन चुकी थी।

शील लुप्त हो गया था, सौहार्द समाप्त हो गया था।

अब एक ही आकांक्षा थी जिसे वह स्वयं नहीं जानती थी।

देविका ने आकर बाले से कहा–'स्वामी आपको अपने कक्ष में बुला रहे हैं।'

'...।'–बाले अहम् से अकड़कर उस ओर चली।

मनु शय्या पर शायित अब भी जम्हाइयाँ ले रहा था। उसके कुंतल स्नेहहीन-शृंगारहीन थे। वसन भी अस्त-व्यस्त थे।

बाले को देखते ही मंद स्मित-रेखा उसके अधरों पर धावित हो गई–'आओ बाले, आओ?'

'यह द्वंद्व और कितने दिन चलेगा?'–बाले ने प्रणाम करके कहा।

'कौन-सा द्वंद्व?'–जैसे मनु कुछ भी नहीं जानता है।

'गृहलक्ष्मी से! वह आपकी अनुपस्थिति में मेरे सौंदर्य और माधुर्य को कोसती रहती हैं, ऐसा क्यों?...मैं आपकी चरणधूलि हूँ और वह आपके मन-मंदिर की मूर्ति, लेकिन इसका तात्पर्य यह नहीं है कि मैं आपके चरण-स्पर्श से भी वंचित रहूँ?'

मनु ने तुरंत पूछा–'वह तुम्हारे साथ ऐसा बर्ताव करती है?'

'प्रमाण भी दे सकती हूँ कि आपकी धर्मपत्नी कितनी नृशंस है?'–स्वर तीव्र था।

'नृशंस?...क्या कहती हो बाले?'

'सच कहती हूँ, देखिए?'–कहकर बाले ने अपने आँचल को उतार करके कंचुकी को खोला तो उरोज पर एक नीला चिह्न लगा हुआ दिखाई पड़ा। इस नीले चिह्न को देखते ही मनु सिहर उठा। उसकी पलकें स्थिर हो गईं।

'यह क्या?'

'आपकी धर्मपत्नी का धर्मकार्य?'–मुख घुमा लिया बाले ने।

'वह इतनी निष्ठुर हो गई है?'–खड़ा हो गया मनु।

'प्रमाण प्रत्यक्ष है, कथन की क्या आवश्यकता?'–स्वर शांत था बाले का।

'तुम यहीं बैठो, मैं आता हूँ।'–कहकर मनु कक्ष से बाहर हो गया।

बाले पात्र में पड़े दाड़िम के दानों को चबाने लग गई थी। जैसे मनु के विचारों का इतना घोर आंदोलन उसके लिए साधारण है।

वातायन से धूप की किरणें आने लग गई थीं। पवन स्तब्ध था, पर मन चलायमान था–'आज इस गर्विता का गर्व चूर करूँगी। कल अशिष्टता से बोली थी, स्वर्ण-पात्र से मेरे उरोज पर प्रहार भी किया था। पर आज उन सब अपमानों का प्रतिशोध लूँगी...अवश्य लूँगी।'

आने की आहट पाकर वह सँभली।

गृहलक्ष्मी के संग मनु ने प्रवेश किया। मनु का चेहरा तमतमाया हुआ था। श्वास की गति, हृदय में कितना क्रोध है, यह बता रही थी।

कक्ष में प्रवेश करते ही उसने बाले की ओर संकेत करके पूछा—'कल तुमने इसे पीटा?'

'नहीं?'—गृहलक्ष्मी ने कहा।

'मिथ्या भाषण! मैं तुम्हारे स्वभाव को ठीक कर दूँगा।'—मनु गृहलक्ष्मी की ओर उन्मुख हो गया।

'आप तो ठीक करेंगे ही, एक क्रीतदासी के समक्ष मुझे अपमानित करते आपको तनिक भी संकोच नहीं आता।' गृहलक्ष्मी भड़की।

'नहीं आता; जाओ।'—दहाड़ से कक्ष ध्वनित-प्रतिध्वनित हो उठा।

'क्यों आए संकोच? जिन्होंने अपनी आन को विस्मृत कर दिया है, वे देवता के मस्तक के पुष्प थोड़े ही बन सकते हैं, वे तो पगों से कुचल जाने वाले कीट ही बनेंगे।'—गृहलक्ष्मी भी आज शांत नहीं हो रही थी। उसकी मुद्रा से स्पष्ट प्रतीत होता था कि आज उसने निश्चय कर लिया है कि जो उसे एक कहेगा, वह सुनेगा भी।

'मैं कहता हूँ कि तुम मौन हो जाओ?'

'नहीं होऊँगी, जब तक आप इस क्षुद्र दासी को मेरी आँखों के आगे से नहीं हटाएँगे, तब तक यह वाणी बंद नहीं होगी।'—गृहलक्ष्मी के नयनों में अश्रु छलक आए।

'मुझ पर दोषारोपण करना व्यर्थ है। मैं तो कहती हूँ कि मेरे स्वामी मुझे अभी ही मुक्त कर दें।'

एक दीर्घ श्वास लेकर मनु अग्नि-शिखा-सा भड़क उठा—'तुम्हें अपनी वाणी अवरुद्ध करनी ही होगी?'

'नहीं करूँगी?'—गृहलक्ष्मी ने आर्तनम् किया।

'नहीं करेगी?'—मनु गृहलक्ष्मी के सन्निकट था।

'हाँ-हाँ! नहीं करूँगी?'—क्रंदन कर उठी गृहलक्ष्मी।

'मौन हो जाओ?'—प्रहार के लिए मनु का हाथ उठा, लेकिन वे अपना काम नहीं कर सके। जहाँ थे वहीं पर रुक गए।

गृहलक्ष्मी काँप रही थी।

अश्रु नयनों से पूर्ण वेग से प्रवाहित हो रहे थे।

बार-बार बोलने का प्रयास करती थी, लेकिन रोदन उसे बोलने नहीं देता था।

अंत में वह कंपनभरी वाणी में चीख पड़ी—'रुक क्यों गए, प्रहार करके मुझे इस संसार से ही विदा कर दो, तुम्हारा पथ प्रशस्त हो जाएगा, तुम्हारा जीवन मुदित हो जाएगा।...करो न प्रहार?'

मनु झुँझला उठा—'तुम सब मुझे विनष्ट करने को तत्पर हो!'

'ऐसा क्यों नहीं कहेंगे? अपने मान का ध्यान न धरकर एक क्रीत दासे... ।'

'श्रीमंत! मैं यहाँ नहीं ठहर सकती?'—दामिनी धरती पर धराशायी होकर लुप्त होती है ठीक उसी प्रकार पलक झपकते बाले ने गर्जना की और कक्ष से बाहर हो गई।

मनु तड़पकर रह गया।

यह एक जटिल समस्या थी जिसका समाधान मनु अपने प्रभुत्व से नहीं निकाल सका। रोष, आक्रोश और शक्ति समस्या का समाधान नहीं कर सके।

पराजित हो गया मनु। उसका कारण था कि गृहलक्ष्मी के पिता, जो एक श्रेष्ठ सामंत थे, उन्होंने मनु को चेतावनी दे दी थी कि उनकी बेटी के साथ दुर्व्यवहार झगड़ा करा सकता है।

काँपता हुआ वह जोर से बोला—'सारथी से कहो कि रथ तैयार करे, मैं एकांत चाहता हूँ।'

रथ में मनु क्लांत-सा बैठा था।

मंद-मंद मंथर गति से रथ चल रहा था।

नगर के घने जनपद से रथ दूर निकल आया था।

यह सरिता-कूल था। संयोग से वहीं पर वासवदत्ता भी अपने रथ में उन्मन-सी बैठी थी।

मनु के रथ को देखकर उसने नाक-भौं सिकोड़ी।

मनु ने समीप जाकर पुकारा—'वासवदत्ता?'

'... ।'—वासवदत्ता मौन रही।

'रुष्ट हो?'—मनु का रथ वासवदत्ता के नितांत निकट था।

'... ।' वासवदत्ता ने अपने सारथी से कहा—'रथ की गति द्रुत करो।'

मनु के देखते-देखते वासवदत्ता का रथ दृष्टि-ओझल हो गया।

मनु क्रोधित होकर हुंकार उठा—'हूँ!'

23

रजनी का आगमन हो चुका था।

तारों भरे नीलांबर के मध्य निशाकर अपनी संपूर्ण कलाओं से दीप्त हो रहा था।

उसकी ज्योत्स्ना से वासवदत्ता का कक्ष क्षीर के सदृश श्वेत लग रहा था।

मलय-पवन का झोंका उसकी प्रसन्नता में प्रमाद भर रहा था।

आज वह गंभीर होकर सोच रही थी कि भिक्षु ने उसके साथ ऐसा व्यवहार क्यों किया? क्या वह मुझे अबोध बालिका समझता है?

अपने आप ही उसने उस प्रश्न का उत्तर दिया—'उसका व्यवहार वास्तव में अद्‌भुत था। सत्वरता से निर्णय निश्चित करना तनिक दुरूह है।'

वासवदत्ता की भृकुटियाँ तनिक ऊपर की ओर उठ गईं।

उसकी तर्जनी उसके अधरों के मध्य टिक गई।

सोती-सोती उठकर बैठ गई।

दूसरे हाथ से शय्या पर आच्छादित मृदुल चादर को सहलाने लगी। अल्पकाल तक वह इसी भाँति विचारमग्न रही। अप्रत्याशित उसके अधर फड़क उठे—'कदापि नहीं। अनल के समक्ष स्वर्ण का गलना अनिवार्य है। नारी के समक्ष नर का पराभव अवश्यमेव है।'

'तो...?'—हर्ष से पुलक उठी वासवदत्ता—'तो भिक्षु भी कृत्रिम उपेक्षा और विरक्ति के प्रदर्शन के पश्चात् मेरे प्रेम को स्वीकार कर लेगा, मेरे आत्मसमर्पण को हृदय से अंगीकार कर लेगा?...निस्संदेह ही।'

सोचते-सोचते वासवदत्ता की आँखों में प्रसन्नता दीप्त हो उठी—'यदि भिक्षु मेरी ओर आकर्षित नहीं होता तो क्या वह मेरा बार-बार आतिथ्य स्वीकार करता?'

वासवदत्ता प्रसन्नता से झूम उठी—'जीवन में सर्वस्व है, एक अपना नहीं, यदि वह हो जाए तो...?'

वह मत्त मयूरनी-सी अपने उत्तरीय को विस्तृत करके नृत्य करने लगी।

वह अपने को विस्मृत कर बैठी, अपने उल्लास को विस्मृत कर बैठी, अपने समस्त वातावरण को विस्मृत कर बैठी।

उसे आभास हुआ कि भिक्षु मंत्रमुग्ध-सा बैठा है—सामने रखी हुई चंदन की वेदी पर।

उसके अपलक नेत्र उसके नयनाभिराम नृत्य का अवलोकन करने में मग्न हैं। उसके रोम-रोम में मादक भाव जाग्रत हैं।

मंगलमुखी पर चमकते हुए दो तारे मानो कह रहे हैं कि जीवन की अभिव्यक्ति आनंद है और आनंद अनात्मा में नहीं हो सकता। आनंद के लिए आत्मा चाहिए, ऐसी आत्मा जिसमें अनुभूति हो।

'मेरा अनात्मा का पुजारी भिक्षु भी अब...?'

घुँघरू बजने लग गए थे।

न सम, न मृदंग, न मंजीर।

केवल नृत्य, एकाकी नृत्य, वासवदत्ता की उन्मत्तता का रंगीन दृश्य। भव्य कला का प्रदर्शन।

आवर्तन-पर-आवर्तन।

एक-दो-तीन और कितने ही?

धम् की ध्वनि के साथ वासवदत्ता नृत्य से श्रांत होकर शय्या पर पड़ गई।

ताली-वादन से कक्ष गूँज उठा।

वासवदत्ता मदहोश-सी कह उठी—'तुम आ गए भिक्षु?'

'भिक्षु नहीं, मनु?'—मनु वासवदत्ता के नितांत पार्श्व था।

वासवदत्ता अपने परिधानों को सुव्यवस्थित करती हुई, सँभलकर घृणा से बोली—'तुम दंडपांशुलों से छल करके यहाँ कैसे आ गए?'

'मैं क्या जानूँ!'

'तुम नहीं जानते?'

'नहीं सुंदरी! तुम्हारे सजग प्रहरियों से मैं आपने आपको रक्षित करता हुआ यहाँ कैसे पहुँच गया, स्वयं नहीं जानता...हाँ, यदि तुम जानना चाहती हो तो मनु उत्तर दे सकता है?'—कहकर मनु ने अपना मुख दूसरी ओर घुमा लिया।

'मनु उत्तर क्या देगा?....उत्तर तो तुम्हें ही देना पड़ेगा?' वह रोष से भर गई।

'उत्तर मुझे देना पड़ेगा?'—खिलखिलाकर हँस पड़ा मनु—'वासवदत्ता! तुमने अपने रूप के आकर्षण से मेरी मति को भ्रष्ट कर दिया, मेरे धन को नष्ट किया, मुझे धृष्ट किया, फिर भी मैं तुम्हें प्यार करता हूँ, हृदय से चाहता हूँ।...और एक तुम हो जो कि मुझे तिल-तिल जलाती हो। ऐसा क्यों?'—मनु के नयनों में याचना थी।

'मुझे तुमसे घृणा है। मैं चाहती हूँ कि तुम मेरी इच्छा के विरुद्ध इधर कभी भी मत आओ।'

'वह भी स्वीकार है। लेकिन जो एक वस्तु तुम से माँगता हूँ वह दे दो?'—मनु का स्वर आर्द्र था।

'वह क्या?'—विभ्रम दृष्टि से देखा वासवदत्ता ने।

'तुम्हारा समर्पण!'

'मेरा समर्पण?'

'हाँ वासवदत्ता! मैं तुम्हें विश्वास से कहता हूँ कि जीवन भर तुम्हारी प्रत्येक अभिलाषा को पूर्ण करता रहूँगा।'

'यह मेरे वश का नहीं है।'

'तब?'

'तब क्या?'

'इसका परिणाम भयंकर हो सकता है।'

'आज कोई अनिष्ट करने को आए हो क्या?'

'हाँ! आज प्रभात से ही अनिष्ट होते जा रहे हैं। दो को पदाघात कर चुका

हूँ और अब तुम्हारे पास अपने प्रेम का प्रतिफल लेने आया हूँ?'—मनु का स्वर कर्कश हो गया।

'प्रेम या वासना का?'

'यह वारामुखी स्वयं समझे।'

'मनु! तुम इसी क्षण चले जाओ।'

मनु ने श्वेत वस्त्र में आवेष्टित हीरकजड़ित कटार निकाली। उस पर हाथ फेरकर कुंठित स्वर में बोला—'चला जाऊँ, बिना किसी निर्णय के।'

'क्या निर्णय चाहते हो?'—वासवदत्ता के नयन द्वार की ओर गए।

मनु उसके नयनों की गति का तात्पर्य समझ गया।

उसने लपक करके द्वार बंद कर लिए।

वासवदत्ता के चेहरे पर भय मूर्त रूप हो उठा। उसने कक्ष में अपनी स्थिर पलकें दौड़ाईं। अपने ही अतुल वैभव में उसका अपना श्वास घुट रहा था।

हठात् एक भयंकर विचार उसके हृदय से धावित हुआ। वह काँप उठी—'कहीं मनु यह कटार...?'

वह बड़बड़ा उठी—'तुम चले जाओ मनु! मैं आज्ञा देती हूँ कि तुम चले जाओ।'

'अपनी चाह का प्रतिदान लिए बिना ही?'

'तात्पर्य?'

'बार-बार मैं तात्पर्य नहीं समझा सकता?'

'... ।'—वासवदत्ता मौन रही।

'जो मैं चाहता हूँ, उसे मुझे निर्विरोध करने दो, अन्यथा वासवदत्ता, परिणाम भयंकर हो सकता है?'

मनु की अँगुलियाँ भयभीत वासवदत्ता के ग्रीवा मूल पर पड़ीं जहाँ उसके ही द्वारा प्रदत्त पुखराज मणि दीपिका के प्रकाश से झिलमिला रही थी।

जब वासवदत्ता ने विरोध किया तो वे अँगुलियाँ लौह-मेखला-सी उसकी ग्रीवा को दबोचने लगीं।

वासवदत्ता ने सतृष्ण नेत्रों से मनु की ओर देखा।

मनु ने उसे मुक्त कर दिया—'चिल्लाने का प्रयास किया तो इस कटार से तुम्हारे प्राण ले लूँगा।'

यह सुनकर वासवदत्ता आहत सर्पिणी-सी फूत्कार उठी—'सामंत! निर्बल की परिस्थिति का अनुचित लाभ उठाकर तुम भी सुख से नहीं रह सकते। इसका परिणाम अच्छा नहीं होगा।'

मनु की त्यौरियाँ बदल गईं।

वासना के अंक में सुप्त उसका उत्तेजित पथ-विस्मृत मन एक गणिका की यह चुनौती सुनकर तप्त हो उठा—'परिणाम से मनु को न रंचमात्र भय है, न अणुमात्र

चिंता। पर आज तुम्हारी नयनों की मादकता का यह अनाहूत अवश्य पान करेगा। तुम्हारे अधर-आसव से अपने अतृप्त अधरों को तृप्त करेगा। तुम्हारे यौवन की आँधी को अपने यौवन के झंझा में विलय करेगा...बोलो सुंदरी! प्रतिरोध की क्षमता है?'

'नहीं।'

'तो तैयार हो जाओ!'

वासवदत्ता आगत संकट से आकुल व विचलित होकर दूर खड़ी हो गई।

रक्ताभ चेहरे पर पीतांवरण छा गया। कुछ बोलने का प्रयत्न करने पर भी नहीं बोल सकी। मनु की भुजाएँ अजगर की भाँति वासवदत्ता के तन के चतुर्दिक अपना वितान तानने लगीं।

देखते-देखते वासवदत्ता मनु की क्रोड में थी।

वासवदत्ता छटपटा उठी।

मनु ने कटार दिखा दी।

वासवदत्ता मौन हो गई—नितांत मूक! फिर वासवदत्ता चीत्कार कर उठी—'छोड़ दो मनु, छोड़ दो। मैं कहती हूँ छोड़ दो, पतित, नराधम, छली, छोड़ दो मुझे...छोड़ दो।'

वासवदत्ता जितना उन्मुक्त होने का प्रयास कर रही थी, मनु उसे उतना ही जकड़ रहा था।

वासना अपराध करने के लिए तत्पर हो गई थी।

वासवदत्ता पुनः सिसक पड़ी—'छोड़ दो मनु, मुझे छोड़ दो।'

मनु ज्वालामुखी-सा भड़का—'मायाविनी! तन में छल, मन में छल, जीवन में छल, प्रत्येक संकेत में छल!...छलनामयी!'

'यह अन्याय है?'

'अन्याय!' मनु ने घृणा से कहा—'उस समय तुम्हारा न्याय कहाँ चला गया था जब मैं तुम्हें अपार धन देता था?'

वासवदत्ता तड़प उठी—'फिर भी कुकृत्य मत करो मनु!'

'मैं कर रहा हूँ या तुम मुझे करने के लिए विवश कर रही हो।'—मनु के स्वर में प्रतिहिंसा की आग थी।

'यह अपराध है।'

'जानता हूँ गणिके! किसी को उल्लू बनाना भी तो अपराध है। यह अपराध तुमने भी किया है। अतः तुम्हें भी दंड मिलेगा'—और देखते-देखते मनु ने वासवदत्ता के वसनों को जीर्ण करने का प्रयास किया।

क्या करती वासवदत्ता? चीख नहीं सकती थी। उसकी चीख ही उसकी मृत्यु थी। अतः वह मनु को टुकुर-टुकुर दयनीय दशा से देखने लगी।

मनु का विवेक वासना के वशीभूत था—केवल वासना के।

वासवदत्ता ने अचानक अपनी पूर्ण शक्ति से उसे धक्का मारकर भूमिसात कर दिया। मनु क्षुधित सिंह की भाँति वासवदत्ता पर झपटा। वासवदत्ता ने उसका अपनी समग्र शक्ति से प्रतिरोध किया।

यह क्या?

प्रकाश में चमचमाती कटार वासवदत्ता के कर में मृत्यु-सी भयानक होकर चमक उठी।

मनु ने एक जोर का अट्टहास किया।

सारा कक्ष गूँज उठा, काँप उठा।

वासवदत्ता के नयनों में ज्वालाएँ जलने लगीं। रणचंडी-सी विकराल होकर उसने मनु को रोका–'भला चाहते हो तो बाहर निकल जाओ, अन्यथा प्राणों से हाथ धोना पड़ेगा।'

चेतावनी व्यर्थ गई।

मनु वासना में विवेकशून्य हो चुका था। उसी प्रकार वह पैशाचिक अट्टहास करके वासवदत्ता पर झपटा–'अप्रतिष्ठामयी, छलना, वासना, आज तुम्हारे सौंदर्य को कलंकित करके ही रहूँगा।...तुमने मेरे हृदय में जो प्रहार किए हैं, उन्हें मैं कदापि विस्मृत नहीं कर सकता।'

'मनु दूर रहो।...मैं कहती हूँ कि तुम दूर रहो अन्यथा।'–भय और रोष के मारे वासवदत्ता का अंग-प्रत्यंग काँप रहा था। उसकी वाणी चीत्कार में परिवर्तित हो गई थी पर मनु को इस परिवर्तन का तनिक भी ध्यान नहीं रहा।

वह अंधा था। अधरों को दाँतों से काटता हुआ भयानक स्वर में बोला–'वारामुखी! आज तुम्हें तुम्हारे छल का दंड दूँगा।...तुमने मुझे अत्यंत कष्ट दिया है, श्वान की भाँति दुत्कारा-दुलराया है लेकिन मैं जिस वस्तु को प्राप्त करना चाहता था, उसे प्राप्त नहीं कर सका। लेकिन आज...?'

मनु उन्मादित हो गया।

उसके आचार-विचार, वाणी, चक्षु और आत्मा–सब में वासना का समावेश हो गया। उस वासना का, जो प्राणी को अपराध के लिए तत्पर कर देती है।

वह अपने दोनों हाथों को फैला करके वासवदत्ता पर झपटा।

वासवदत्ता ने एक हृदयवेधक चीत्कार किया।

उसके हाथ में कटार ज्वाला-सी भभक उठी।

एक जोर की चीख के साथ मनु तड़पा–'नीच! कुल्टा, दुराचारिणी...।' मनु का स्वर शांत हो गया।

और स्वयं वासवदत्ता मनु की दुर्दांत मृत्यु पर काँप उठी।

कटार उसके उदर को बीभत्स रूप में चीरती हुई नाभि तक आ गई थी।

वासवदत्ता भी करुण-क्रंदन कर उठी। उसने दरवाजा खोला।

बाहर दंडपांशुल व परिचारिका भी आ गई थीं लेकिन वे भी निस्पंद-सी खड़ी थीं।

मनु ने अल्पकाल तक वासवदत्ता को प्रतिशोधभरी दृष्टि से देखा जैसे उसकी स्थिर होती हुई आँखें कह रही हैं–'इस जन्म में नहीं तो क्या? अगले जन्म में तुझ दुष्टा से अवश्य प्रतिशोध लूँगा।'

मनु ने एक जोर की हिचकी ली और इस असार संसार से चला गया।

वासवदत्ता सर्वप्रथम कटार को देखकर जड़वत् खड़ी रही। उसकी पुतलियाँ स्थिर एवं निष्प्रभ हो गईं। तब वह मनु के लहूलुहान शव पर पड़कर सिसक-सिसककर दारुण रोदन करने लगी।

पवन शांत था।

वातावरण निस्पंद था।

रजनी के नयन अश्रुपूर्ण थे।

तारे पीड़ा के छाले बनकर वासवदत्ता को दुःख देने लग गए थे।

काली यवनिका फटने के लिए आतुर हो रही थी।

24

नगर में मनु की मृत्यु का समाचार प्रत्यूष की प्रथम किरण के आलोक-सा विस्तृत हो गया।

सेट्ठिपुत्रों, लक्षाधीशों तथा सामंतपुत्रों में इस हत्या से रोष छा गया। जहाँ खड़े होते थे, वहीं पर बस यही चर्चा थी।

ऐसा प्रतीत होता था कि समस्त नगर में आंतक छा गया है।

नगरपति ने अपने चरों द्वारा शव का अन्वेषण और निरीक्षण कराया। कितनी बीभत्स मृत्यु थी मनु की–नगर के प्रतिष्ठित सामंतपुत्र की।

वासवदत्ता–नगर के युवकों की सम्राज्ञी आज बंदिनी बन गई थी।

नगरपति, महासचिव, महादंडनायक, दंडनायक और नगर के प्रसिद्ध तथा प्रतिष्ठित श्रीमंत तथा सामंतगण न्याय-निर्णय हेतु एक सभा में एकत्रित हुए।

अत्यंत तर्क-वितर्क के पश्चात् यह निर्णय किया गया कि प्राण के परिवर्तन में प्राण लेने चाहिए; नगर के प्रतिष्ठित मनु के प्राण के बदले में इस तुच्छ गणिका को मृत्युदंड मिलना चाहिए।

इस भयानक निर्णय से नगरपति विचलित हो गए।

उन्होंने सोचकर कहा–'गणिका वासवदत्ता के प्रति हम यह अन्याय कर रहे हैं।'

नगरपति का इतना कहना था कि उपस्थित सज्जनों में से एक अत्यंत तरुण राजवर्गीय पदाधिकारी ने नेत्रों में क्रोध भरकर कहा—'गणिका वासवदत्ता इस घटना में सर्वथा निरपराध है। अपराध की प्रेरणा देने वाला उसका यह अलौकिक सौंदर्य है। इस सौंदर्य पर विमोहित मनु उस पर आसक्त हुआ, अपराध की ओर प्रेरित हुआ, अतः वासना की प्रतिमूर्ति वासवदत्ता को सौंदर्य-वंचित कर दिया जाए, उसको कुरूप बना दिया जाए! उसका समस्त धन तथा भवन राजकीय अधिकारी अपने हस्तांतरित कर ले।'

समस्त उपस्थिति ने अपनी स्वीकृति इसी निर्णय के लिए दे दी।

वासवदत्ता ने भी यह निर्णय सुना तो सभासदों के मध्य वह शेरनी की भाँति खड़ी हो गई—'नगरपति, महासचिव, महादंडनायक, श्रीमंत और सामंत! प्रणाम!!

'न्याय भगवान की वाणी होती है और न्यायकर्त्ता भगवान! यदि न्यायकर्त्ता स्वार्थ और अपनत्व में अपने सिद्धांतों और धर्म को विस्मृत करके अनुचित न्याय करते हैं, तो वे भी बड़े अपराधी हैं, इस सृष्टि के नहीं, उस सृष्टि के जो चंद्र-सूरज के उस ओर है।

'मैं जानती हूँ—सामंतों और श्रीमंतों का नगर में प्रभुत्व है, निरंकुशता है, लेकिन नगर के नगरपति के समक्ष क्या विवशता और भय है, अनुचित निर्णय को देवता की वाणी समझकर मौन बैठे सुन रहे हैं?

'मैं स्वीकार करती हूँ—मैंने मनु की हत्या की, लेकिन अपनी कटार से नहीं, उसकी अपनी कटार से। मनु वाणिनी के वक्ष को चीर करके अपनी अंतर्ज्वाला को शांत करना चाहता था, पर वह करुणा पात्र ऐसा नहीं कर सका, उसकी कटार उसी का भक्षण कर गई।...लेकिन क्यों! क्योंकि वह मेरी भावुक भावनाओं और लालसाओं को भक्ति से नहीं, शक्ति से कुचलना चाहता था। वह मेरे पर बलात्कार करना चाहता था और उसने इन्हीं कपोलों को अपने विषाक्त पंजों से काटा था।

'गणवृंद! मनु ने मेरी प्रतिष्ठा पर आघात किया?'

'गणिका अपनी प्रतिष्ठा की परिभाषा तो करें?'—एक सेट्ठिपुत्र ने कड़ककर पूछा।

'मेरी प्रतिष्ठा?...मेरी प्रतिष्ठा उन नारियों से अधिक है क्योंकि मैं समाज के अत्याचारों की नग्न सत्य होकर भी उसका भला करती हूँ। उन असंतुष्ट मनों को भी अपनी कला से शमन देती हूँ जो संतुष्टि के अभाव में अपराध की ओर उत्प्रेरित होते हैं।'

'तुम कुछ नहीं हो। सत्य तो यह है कि तुम धन की पुतली हो। धन के समक्ष तुम्हारा सर्वस्व है। तुम आमोद की वस्तु हो, आमोद करना तुम्हारा धर्म है।'—महासचिव ने कहा।

'यह धर्म भी तो आपके द्वारा ही प्रदत्त है। नारी को क्रीड़ा की वस्तु बनाने

वाले आप ही तो हैं, न्यायकर्त्ता, धर्मात्मा और समाज-सेवक। मैं पूछती हूँ।'—वासवदत्ता का स्वर और तीव्र हो गया—'मनु को क्या अधिकार था कि वह अनाहूत की भाँति मेरे कक्ष में प्रवेश करता ?'

इसका अकाट्य उत्तर दिया गृहलक्ष्मी ने—'क्योंकि वे तुमसे हार्दिक प्रेम रखते थे। वे प्रायः तुम्हारे यहाँ आते-जाते थे। तुम्हारे और उनके प्रेम-पत्रों का परस्पर सदैव ही विनिमय होता रहता था। उन प्रेम-पत्रों में इस दुराचारिणी की इतनी मधुर बातें होती थीं जिसे एक पत्नी भी नहीं लिख सकती।...इनका प्रेम-पत्र चलता रहा। मैं अपने पति के इस दुष्कर्म को सहन नहीं कर सकी। परिणाम यह हुआ कि अल्पकाल के पश्चात् हम पति-पत्नी के मध्य घोर द्वंद्व उठ खड़ा हुआ। कभी-कभी इस कुपात्रा के कारण मेरे देव-तुल्य पति मुझ पर हाथ तक उठा लेते थे।'

एक मूढ़ सेट्ठिपुत्र धनराज विदूषक की भाँति बेडौल मुँह बना करके बोला—'तुम स्त्रियाँ हम सेट्ठियों के विलास में क्यों बाधक होती हो। फिर तुम पर कौन विश्वास करे कि तुम भी धर्म की भाँति निष्कलंक हो। मैं जब एक गणिका के यहाँ प्रस्थान करने लगा तो मेरी सहधर्मिणी ने मेरे भृत्य के संग अनुचित संबंध स्थापित कर लिया।'

सभासदों में हँसी गूँज गई।

उस हँसी को विदीर्ण करती हुई नगरपति की आज्ञा गूँज गई।

सब मौन हो गए।

वासवदत्ता का क्रंदन गूँज उठा—'धन से नारी की अभिलाषाओं की तृप्ति नहीं होती। आप लोग नारी को प्रमोद का साधन मात्र समझते हैं, उसकी भावनाओं का उपहास उड़ाते हैं, उसकी वाणी को व्यर्थ का प्रलाप समझते हैं और जब नारी आप लोगों की सत्यता को जानकर विरोध करती है तो आप उसे किसी कुचक्र में फँसाकर दंडित कराने का प्रयास करते हैं।...यही तो है आपका न्याय?'

तर्क-वितर्क और कुतर्क चलते रहे पर कोई अंतिम निर्णय नहीं निकला।

न्यायाधीश ने वासवदत्ता को अगले दिवस अपने को निर्दोष प्रमाणित करने के लिए प्रमाण माँगे, साक्षियाँ माँगीं।

वासवदत्ता की ओर से एक भी साक्षी नहीं आई क्योंकि सेट्ठिपुत्रों-सामंतों ने उसके समस्त अनुचरों तथा परिचारिकाओं को धन और भय से अपनी ओर मिला लिया था। न्यायाधीश ने वासवदत्ता को कुरूप बनाने का दंड दे दिया।

तब वासवदत्ता ने अबोध शिशु की भाँति रोदन करके प्रार्थना की—'मुझे कुछ दिवसों के लिए मुक्त कर दिया जाए। मैं एक बार अपने प्रेमी से इसी सौंदर्य में भेंट करना चाहती हूँ। जब वह मुझे...नहीं, नहीं मुझे कुरूप मत बनाओ, प्राण ले लो, पर मेरा यह रूप न लो।...रूपविहीन मैं दानवी का जीवन व्ययीत नहीं कर सकती। मुझे मृत्यु-दंड दे दो।'

मर्मभेदी वासवदत्ता की वाणी वातावरण का हृदय विदीर्ण कर रही थी।

प्रार्थना-पर-प्रार्थना करती जा रही थी वह, लेकिन जो निर्णय हो गया, वह परिवर्तित नहीं हो सका।

दंडगृह में जब वासवदत्ता लाई गई तो उसके कर्णों में प्रतिध्वनि की भाँति मनु के शब्द गूँज उठे—'आसक्ति की अतृप्ति में उपेक्षा और विरक्ति का प्रदर्शन, मनुष्य की स्वाभाविक दुर्बलता है। अतृप्ति की प्रतिक्रिया असंतोष के रूप में होती है और वह असंतोष कभी-कभी प्राणी को अपराध की ओर भी अग्रसर कर देता है।'

कल के शब्द आज सत्य हो गए।

और उसके मस्तिष्क में हथौड़े की भाँति मार्मिक प्रहार करने लगे संन्यासी के शब्द—'वासना विवेक को नष्ट कर देती है।'

वासवदत्ता पश्चात्ताप में पीड़ित होकर चीख पड़ी।

और...?

अप्रतिम सुषमा-संपन्न सौंदर्य देवी कुरूप बना दी गई।

उसे नगर के बाहर एक जीर्ण-शीर्ण खँडहर में पहुँचा दिया गया।

25

समय परिवर्तित हो गया तो सब बदल गए।

वासवदत्ता का अवर्णनीय रूप आज घृणास्पद होकर मनुष्य के वाक्यवाणों का केंद्र-बिंदु बन गया।

उसके अनेकानेक प्रेमी, जो अच्छे दिनों में अनेक प्रतिज्ञाएँ प्रेम की किया करते थे, आज उसे दृष्टि भर को देखने तक नहीं आते थे। दैवयोग से कभी इस पथ से विचर भी जाते तो उपेक्षा से अपना मुँह फेरकर चले जाते थे। तब वासवदत्ता का रोम-रोम रो पड़ता था।

दर्पण से उसे घृणा हो गई थी।

कभी-कभी किसी पथिक के रथ पर लगे दर्पण में वह अपना चेहरा देख लेती तो विक्षुब्ध-सी होकर चीखें भरने लगती थी।

वह सोचा करती थी जिस स्वर्णिन-कांति-सा आलोकित चंदन-चर्चित सुरभित तन का दर्शन पाकर जनपद सुख की तृप्ति का आनंद लिया करता था, आज वही तन उन्हें भयभीत करने के लिए घिनौना होकर मौन अट्टहास किया करता है।

वह दिवा-रात्रि करुण क्रंदन किया करती थी।

कभी-कभी आत्मघात करने के लिए तत्पर हो जाती थी।

दो-एक बार वह सरिता के दक्षिणी छोर पर, जो पर्वतीय उच्च शिलाखंड था,

उस पर जाकर भी वह अपने प्राणों का त्याग नहीं कर सकी थी।

क्यों नहीं कर सकी थी? इसे वह स्वयं नहीं जानती थी।

एक दुर्बलता थी, जिसे दार्शनिकों ने जीवन के प्रति मोह कहा है, कदाचित् वही उसे निर्बल कर देती थी।

अपने पर झुँझलाहट, धृणा और आक्रोश उसे प्रतिपल आता-जाता रहता था।

स्वभाव में एक विचित्र चिड़चिड़ापन और कठोरता आ गई थी।

बात-बात पर वह अपने कुंतलों को नृशंसता से खींचकर अपने कपोलों पर अपने ही करों द्वारा प्रहार किया करती थी।

यह उसकी प्रथम मनोदशा थी।

और दूसरी–

वह दिन भर प्रस्तर की प्रतिमा की भाँति अर्थशून्य दृष्टि से अनंत को निहारती रहती थी।

कभी-कभी वह हँस पड़ती थी, रो पड़ती थी, मुस्करा पड़ती थी।

बड़बड़ा उठती थी–'धन सृष्टि की सबसे हेय और निकृष्ट वस्तु है। अतः सर्वप्रथम देश के विधाता को उस पर अपना आधिपत्य करके, उसका सही वितरण कर देना चाहिए ताकि अनाचार-भ्रष्टाचार को प्रोत्साहन न मिले।'

और कभी-कभी वह धरती पर अपनी तर्जनी से लिखा करती थी–'प्रिय उपगुप्त! मेरे सर्वस्व...!! अब तुम मत आना।...मैं प्रार्थना करती हूँ कि अब तुम मत आना, कभी भी मत आना।'–और इस प्रकार प्रणय-प्रलाप करती-करती वह लिखने लगती थी–'हत्या, मैंने मनु की हत्या की, मैं हत्यारिणी हूँ, पापिन हूँ, दुराचारिणी हूँ।'

और वह रोती रहती थी, कलपती रहती थी, तरसती रहती थी।

दिवस आते थे, रातें जाती थीं।

हतभागिनी वासवदत्ता अपना विकृत रूप लिए दुर्दिन व्यतीत कर रही थी।

न कोई उसे अपना कहने वाला था और न ही वह किसी को अपना कह सकती थी।

केवल जीने के लिए जीवित थी।

आज प्रभात हुआ।

वह प्रभात जिस प्रभात को भिक्षु ने वासवदत्ता का प्रणय स्वीकार करने की प्रतिज्ञा की थी।

पिपासा को पूर्ण करने का आश्वासन दिया था।

जीवन से भाराक्रांत वासवदत्ता पथ पर जा रही थी। चिंताओं से उसकी मनःस्थिति ठीक नहीं थी।

अचानक उसकी मुठभेड़ एक भिखारी से हो गई।

भिखारी भी उसे पहचानता था। उसका स्पर्श होते ही भिखारी प्रतारणा देता हुआ बोला–'हत्यारिन! तुमने मेरा स्पर्श क्यों किया? तुमने अपने विगत जीवन में

रूप के अमृत को विष बनाकर कइयों का सुख हरण किया था। अब भगवान तुम्हें अपने कर्मों का भयंकर दंड दे रहा है...मैं भी तुम्हें श्राप देता हूँ कि तू जल की एक-एक बूँद के लिए तरस-तरसकर अपने प्राण त्यागे।'

एक सामंत समीप ही खड़ा था।

जब भिखारी मौन हो गया तो वह सामंत बोला—'मैं तो कहता हूँ कि इसके शव में कीड़े पड़ जाएँ। इसने मुझे खूब लूटा है।'

लांछन-पर-लांछन!

वासवदत्ता तिलमिला उठी। ऐसी भयानक मृत्यु की कल्पना मात्र से वासवदत्ता की आँखों के आगे घना अंधकार छा गया।

उसने तुरंत विचारा—'ऐसी निकृष्ट मृत्यु आए, इसके पूर्व ही मुझे अपने निंदनीय जीवन का अंत कर देना चाहिए।'

विचार निर्णय में परिवर्तित हो गया।

वह जनपथ पर आकर द्रुतगति से धावित होने वाले रथ की प्रतीक्षा करने लगी।

जनपथ पर आवागमन भी तनिक अधिक था।

इसी बीच वासवदत्ता को एक अत्यंत रमणीक स्वर्ण-ध्वज-मंडित रथ भागता हुआ दिखलाई पड़ा।

सारे व्यक्ति उस रथ को देख रहे थे। उनका देखना स्पष्ट बता रहा था कि अवश्य ही यह रथ किसी महत्त्वपूर्ण व्यक्ति का है।

जब रथ थोड़ी दूर रहा तो वासवदत्ता उसके समक्ष उन्मत्त-सी भागी।

सारे लोग विकलता से चिल्ला पड़े—'सारथी रथ रोको, रथ रोको, रथ रोको।'

अश्व बलिष्ठ थे। अधिकार में नहीं आ सके।

लोगों ने नेत्र मूँदकर मन-ही-मन कहा—'बेचारी मर गई।'

लेकिन एक भिक्षु ने वासवदत्ता को मृत्यु के मुख से बचा लिया।

एक तीव्र घोष हुआ—'मर गई।'

पर दूसरे ही पल सबने देखा—आत्मघात करने वाली कुरूप युवती किसी भिक्षु द्वारा बचा ली गई है।

सब लोग उस भिक्षु को उसकी जय-जयकार के साथ धन्यवाद देने लगे।

लोगों ने आत्मघातिन को पहचाना। सब ग्लानि से मुँह फेरकर चलते बने—'हत्यारिणी वासवदत्ता!'

अश्रु से परिपूर्ण नयनों से वासवदत्ता रोदन भरे स्वर में बोली—'तुमने मुझे क्यों बचाया, क्यों बचा...?'—अभी तक वासवदत्ता की चेतना दुःख के अथाह सागर में लुप्त थी। अतः उपगुप्त को पहचान नहीं सकी।

'यह मेरा धर्म हैं।' भिक्षु बोला।

बाणवेधित की भाँति वासवदत्ता चीत्कार उठी—'तुम!...तुम!!... तुम यहाँ क्यों आए?'

'मैंने तुम्हें आज आने का वचन दिया था।'

'नहीं।' वह चीख पड़ी।

उपगुप्त उसे रोके, इसके पहले ही वासवदत्ता भाग गई।

उसने अपने द्वार अवरुद्ध कर लिए। उसकी सिसकियाँ अब भी सुनाई पड़ रही थीं।

उपगुप्त उसके जीर्ण-शीर्ण गृह के समीप आकर उसका द्वार खटखटाने लगे।

'कौन हो?'

'...।'—वही खट्खट्।

'कौन हो?'—कहने के संग द्वार खुले—'तुम?'—द्वार पुनः अवरुद्ध हो गए।

'देवी! अतिथि का ऐसा अपमान नहीं करना चाहिए। द्वार खोलो। जो व्यक्ति सत्य का सामना करता है, वह अजेय हो जाता है। खोलो, द्वार खोलो।'

द्वार धीरे-धीरे पुनः खुले।

'उपगुप्त!' वासवदत्ता के अश्रु से ओत-प्रोत नयनों में क्षमा थी।

'हाँ!'

'क्यों आए हो?'

'तुमसे प्रतिज्ञा जो की थी।'

'प्रतिज्ञा?'

'आज पक्ष का अंतिम दिन है?'

'हाँ, लेकिन अब लौट जाओ?'

'क्यों?'

'समय व्यतीत हो गया है!'

'कौन कहता है?'

'मैं!'

'किसलिए?'

'क्योंकि मेरे पास कुछ नहीं है। न कुंदन-सा तन, न वैभव-विलासी मन और न इन प्रसाधनों को एकत्रित करने वाला धन; अतः भिक्षु, तुम लौट जाओ, इस भयानक कुरूप नारी में अब कोई आकर्षण नहीं है।'

'लेकिन इस भयानक रूप में एक कल्याणकारी अद्वितीय ज्योति का प्रादुर्भाव जो हुआ है, जिसे मैं देख रहा हूँ।'

'धैर्य दे रहे हो मुझे, बहला रहे हो मुझे।'

'क्यों?'

'कौन-सी ज्योति का अवतरण हुआ है?'

'प्यार की ज्योति का!'

'प्यार?'—चौंक पड़ी वासवदत्ता।

'हाँ प्यार!...भगिनी। तुम्हारे हृदय में लौकिक प्यार का उद्भव तो अभी ही हुआ है। इसके पूर्व एक उद्दाम था, एक वासना थी और वासना नाशवान होती ही है। वासना के नाश के साथ तुम्हारे हृदय का समग्र कलुष धुल गया है। प्रेम का निर्मल निर्झर तुम्हारे उर में प्रवाहित होकर सात्विकता, सादगी और सुबुद्धि का संचार कर रहा है।'

'माता!'—उपगुप्त ने पलकों को बंद करके पुनः खोला—'मैंने इन नेत्रों से तथागत को पृथ्वी पर अमृत वर्षण करते देखा है क्योंकि मेरा मन उनकी मूर्ति का ही अभिलाषी है और तुम मोह तथा प्रलोभन में पड़कर, सांसारिक भोग-विलास तथा कामासक्तता में फँसकर ही तुमने भगवान बुद्ध की कल्याणकारी वाणी का श्रवण नहीं किया, अपितु क्षणभंगुर सौंदर्य पर गर्वित होकर जीवन के महान् सत्य को विस्मृत कर बैठी।

'रूप की सुंदरता और मनोहरता नश्वर है। जीवन के सत्य को जानने का प्रयास करना चाहिए और मुक्ति के मार्ग की ओर प्रशस्त होकर निर्वाण प्राप्ति की ओर प्रत्येक प्राणी-मात्र को प्रयास करना चाहिए।'

वासवदत्ता भिक्षु की दिव्य वाणी सुन करके उसके चरणों में लोट गई। चरण वासवदत्ता के अश्रु से तरल हो गए।

अशैक्ष उपगुप्त ने उसे उठाकर प्यार से छाती से लगाया और स्नेह से उसे सहलाने लगे—'तुम्हें अब प्यार चाहिए और मैं अपने वचनानुसार तुम्हें प्यार दूँगा, एक पुत्र का प्यार, एक भ्राता का प्यार, केवल प्यार नहीं, जीवन का समस्त दुलार।...उठो! महापुरुष तथागत का ध्यान धर कर के मनसा, वाचा, कर्मणा से उनके द्वारा बताए निर्वाणपथ के मंत्रों को सुनो। उनके श्रवण मात्र से तुम्हारे अशांत हृदय को शांति मिलेगी, क्लांत मन को धैर्य मिलेगा।'

इतना कहकर आचार्य उपगुप्त कुरूप वासवदत्ता को धार्मिक पद्धति का ज्ञान कराके धर्मोपदेश देने लगे—'अपने भीतर ज्ञानशक्ति, ध्यानशक्ति, कर्मशक्ति, आत्म-विश्वास और उत्साह की उल्का ज्वलित करके तुम्हें काम, क्रोध, लोभ, मोह, अहंकार, तृष्णा, मत्सर, ईर्ष्या, दुराग्रह, निर्बलता और आलस्य का त्याग करना चाहिए।

'स्वस्थ तन, इंद्रिय-निग्रह, मन-संयम और पूर्ण पुरुषार्थ, दृढ़ संकल्प के साथ-साथ इन आठों दुःखों—जन्म, रोग, जरा, मृत्यु, शोक, निराशा, संयोग-वियोग से मुक्त होना चाहिए।

'अमिताभ के निर्वाण—दुःखों और दुःखों के कारणों से मुक्त होने के मूलमंत्र पर तुम्हें अपने जीवन की समस्त साधना लगा देनी चाहिए। किसी को दुःख नहीं देना चाहिए। किसी की वस्तु को नहीं चुराना चाहिए। सबकी सेवा करनी चाहिए। मिथ्या भाषण से बचना चाहिए, निर्भयता, विवेक और प्रेमपूर्वक सत्यपरायण करना

चाहिए। मिथ्या समाचार प्रसारित करना भी एक अपराध है, अतः इससे भी सदैव दूर रहना चाहिए। दूसरों के अवगुणों को मत देखकर उसके गुणों पर ध्यान देना चाहिए। शपथ कभी भी नहीं खानी चाहिए। समय को व्यर्थ में नहीं गँवाना चाहिए। सार्थक बात करनी चाहिए और मौन रहना चाहिए। लोभ-ईर्ष्या का त्याग करके दूसरों की उन्नति से प्रसन्न होना चाहिए। मन से द्वेष मूल को मिटाकर शत्रुओं का भी भला सोचना चाहिए। अज्ञान का नाश करके सत्य का अन्वेषण करना चाहिए। निराशा के अस्तित्व को ही मिटा देना चाहिए।'

उपगुप्त ने शांत स्वर में कहा—'यही निर्वाण है। इन्हीं उपदेशों का पालन करके प्राणी निर्वाण के परम पद को प्राप्त करता है।

'वासवदत्ता!

'सँभलो!!

'जागो!!!

'अपने मन के पवित्र उच्च भावों तथा वृत्तियों का संबल लेकर बुद्ध भगवान की शरण में आकर अपने कल्याण की प्रार्थना करो। जीवन का वास्तविक आनंद तुम्हें वहीं मिलेगा।'

आगे-आगे भिक्षु चला। भिक्षु संग यंत्र-संचालित-सी वासवदत्ता द्वार की ओर बढ़ी।

भिक्षु के अधर पर सौम्य मुस्कान थिरक उठी—उसने मन-ही-मन सोचा—'यह विजय मेरी नहीं, मेरे धर्म की है, मेरे प्रभु तथागत की है।'

द्वार के बाहर होते ही भिक्षु ने उच्च स्वर में कहा :

बुद्धं सरणं गच्छामि
धम्मं सरणं गच्छामि
संघं सरणं गच्छामि।

वासवदत्ता ने देखा—भिक्षु के दिव्यानन पर एक अद्‌भुत आलोक दीप्त हो रहा है।

द्वार के बाहर ही कवि राहुल नत-नयन किए खड़ा था। आचार्य उपगुप्त को देखकर वह प्रणाम करने के लिए झुक गया।

आचार्य उपगुप्त ने आशीर्वाद देकर कहा—'संघ की ओर प्रस्थान करो भिक्षु!'

और वासवदत्ता के अधर भगवान बुद्ध के त्रिरत्नों को उच्चारित करने के लिए तड़प उठे :

बुद्धं सरणं गच्छामि
धम्मं सरणं गच्छामि
संघं सरणं गच्छामि।

□□